WEEKLY STUDY PLAN

テスト直前1週間でやることを整理しよう。
2週間前から取り組む場合は2列使おう。

Name of the Test [テスト名]

Test Period [テスト期間]

/ ～ /

Date	Subject To-Do List	Check
/ ( )		
/ ( )		
/ ( )		
/ ( )		
/ ( )		
/ ( )		
/ ( )		

🕐 Daily Total
0分 10 20 30 40 50 60分
1 時間
2 時間
3 時間
4 時間
5 時間
6 時間

🕐 Daily Total
50 60分
1 時間
2 時間
3 時間
4 時間
5 時間
6 時間

🕐 Daily Total
0分 10 20 30 40 50 60分
1 時間
2 時間
3 時間
4 時間
5 時間
6 時間

🕐 Daily Total
0分 10 20 30 40 50 60分
1 時間
2 時間
3 時間
4 時間
5 時間
6 時間

🕐 Daily Total
0分 10 20 30 40 50 60分
1 時間
2 時間
3 時間
4 時間
5 時間
6 時間

🕐 Daily Total
0分 10 20 30 40 50 60分
1 時間
2 時間
3 時間
4 時間
5 時間
6 時間

🕐 Daily Total
0分 10 20 30 40 50 60分
1 時間
2 時間
3 時間
4 時間
5 時間
6 時間

Daily Total ←

実際にその日勉強した累積時間分のマス目をぬろう。1マス10分。

WEEKLY STUDY PL

Name of the Test [テスト名]

Date	Subject To-Do List
/ ( )	
/ ( )	
/ ( )	
/ ( )	
/ ( )	
/ ( )	
/ ( )	

WEEKLY STUDY PLAN

Name of the Test ［テスト名］

/ ～ /

/ ～ /

Date	Subject To-Do List	Check
/ ( )		
/ ( )		
/ ( )		
/ ( )		
/ ( )		
/ ( )		
/ ( )		

Check

Daily Total
0分 10 20 30 40 50 60分
1 時間
2 時間
3 時間
4 時間
5 時間
6 時間

Daily Total
0分 10 20 30 40 50 60分
1 時間
2 時間
3 時間
4 時間
5 時間
6 時間

Daily Total
0分 10 20 30 40 50 60分
1 時間
2 時間
3 時間
4 時間
5 時間
6 時間

Daily Total
0分 10 20 30 40 50 60分
1 時間
2 時間
3 時間
4 時間
5 時間
6 時間

Daily Total
0分 10 20 30 40 50 60分
1 時間
2 時間
3 時間
4 時間
5 時間
6 時間

Daily Total
0分 10 20 30 40 50 60分
1 時間
2 時間
3 時間
4 時間
5 時間
6 時間

Daily Total
0分 10 20 30 40 50 60分
1 時間
2 時間
3 時間
4 時間
5 時間
6 時間

Daily Total (右列)
0分 10 20 30 40 50 60分
1 時間
2 時間
3 時間
4 時間
5 時間
6 時間

← 点線にそって切り取りましょう。

MY BEST

毎日の勉強と定期テスト対策に

For Everyday Studies and Exam Prep for High School Students

よくわかる 高校情報Ⅰ 問題集

Informatics Ⅰ

岡嶋裕史

中央大学国際情報学部教授

Gakken

よくわかる
高校の勉強ガイド

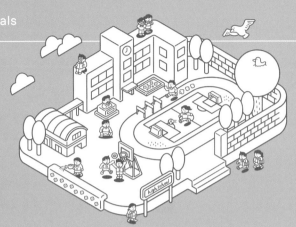

中学までとのギャップに要注意!

　中学までの勉強とは違い,**高校では学ぶボリュームが一気に増える**ので,テスト直前の一夜漬けではうまくいきません。部活との両立も中学以上に大変です!

　また,高校では入試によって学力の近い人が多く集まっているため,中学までは成績上位だった人でも,初めての定期テストで予想以上に苦戦し,**中学までとのギャップ**にショックを受けてしまうことも…。しかし,そこであきらめず,勉強のやり方を見直していくことが重要です。

高3は超多忙!
高1・高2のうちから勉強しておくことが大事。

　高2になると,**文系・理系クラスに分かれる**学校が多く,より現実的に志望校を考えるようになってきます。そして,高3になると,一気に受験モードに。

　大学入試の一般選抜試験は,早い大学では高3の1月から始まるので,**高3では勉強できる期間は実質的に9か月程度しかありません。**おまけに,たくさんの模試を受けたり,志望校の過去問を解いたりなどの時間も必要です。高1・高2のうちから,計画的に基礎をかためていきましょう!

学校推薦型選抜・総合型選抜の入試も視野に入れておこう!

　近年増加している学校推薦型選抜(旧・推薦入試)や総合型選抜(旧・AO入試)においては,**高1からの成績が重要になるため,毎回の定期テストや授業への積極的な取り組みを大事にしましょう。**また,小論文や大学入学共通テストなど,**学力を測るための審査**も必須となっているので,日頃から基礎的な学力をしっかりとつけていきましょう。

一般的な高校3年間のスケジュール

※3学期制の学校の一例です。くわしくは自分の学校のスケジュールを調べるようにしましょう。

高1	4月	●入学式　●部活動仮入部
	5月	●部活動本入部　●一学期中間テスト
	7月	●一学期期末テスト　●夏休み
	10月	●二学期中間テスト
	12月	●二学期期末テスト　●冬休み
	3月	●学年末テスト　●春休み
高2	4月	●文系・理系クラスに分かれる
	5月	●一学期中間テスト
	7月	●一学期期末テスト　●夏休み
	10月	●二学期中間テスト
	12月	●二学期期末テスト　●冬休み
	2月	●部活動引退（部活動によっては高3の夏頃まで継続）
	3月	●学年末テスト　●春休み
高3	5月	●一学期中間テスト
	7月	●一学期期末テスト　●夏休み
	9月	●総合型選抜出願開始
	10月	●大学入学共通テスト出願　●二学期中間テスト
	11月	●模試ラッシュ　●学校推薦型選抜出願・選考開始
	12月	●二学期期末テスト　●冬休み
	1月	●私立大学一般選抜出願　●大学入学共通テスト　●国公立大学二次試験出願
	2月	●私立大学一般選抜試験　●国公立大学二次試験（前期日程）
	3月	●卒業　●国公立大学二次試験（後期日程）

部活との
両立を
したいな

受験に向けて
基礎を
かためなきゃ

やることが
たくさんだな

みんなが抱える **勉強の悩み** Q&A

Q

授業は聞いているのに
テストで点が取れない…。

A

問題集を活用して，テストでどう問われるのかを意識しよう。

　学校の定期テストでは，授業の内容の「理解度」をはかるための問題が出題されます。

　授業はきちんと聞いて，復習もしているにもかかわらず，テストで点が取れないという人には，問題演習が足りていないという場合が非常に多いです。問題演習は，授業の内容が「試験問題」の形式で問われた場合の予行演習です。これが足りていないと，点が取りづらくなります。

　日頃から，授業で習った単元を，問題集を活用して演習してみてください。そうすることで，定期テストの点数は飛躍的にアップしますよ。

「解けた！」を実感したい。

普段から，インプットとアウトプットのサイクルをうまくつくろう。

　いざ問題演習を始めたものの，まったく問題が解けないと，「このまま演習を続けても意味がないのでは…」と不安になってしまうかもしれません。そんな場合には，教科書や授業中にとったノート，あるいは参考書に先に目を通してから，問題集を解いてみるのをおすすめします。

　問題を解くには，その前提となる「知識」を蓄える必要があります。まず「知識」をインプットし，「問題演習」でアウトプットする――このサイクルを意識して学習するのが成績アップの秘訣です。

　参考書と単元や学習内容が対応した問題集を使うと，インプットとアウトプットのサイクルをより効率的に行うことができますよ。

> テスト範囲の勉強が
> いつも間に合わなくなってしまう!

試験日から逆算した「学習計画」を練ろう。

　定期テストはテスト範囲の授業内容を正確に理解しているかを問うテストですから, よい点を取るには全範囲をまんべんなく学習していることが重要です。すなわち, 試験日までに授業内容の復習と問題演習を全範囲終わらせる必要があるのです。

　そのためにも, がむしゃらに目の前の勉強を進めていくのではなく, 「試験日から逆算した学習計画」を練るようにしましょう。

　本書の巻頭には, 定期テストに向けた学習計画が作成できる「スタディプランシート」がついています。このシートを活用し, 全体の進み具合をチェックしながら勉強していけば, 毎回テスト範囲をしっかりカバーできますよ。

情報Ⅰ の勉強のコツ Q&A

 _____

情報Ⅰはどうやって勉強すればいいですか?

 _____

まずは出てくる用語や計算方法を覚えましょう。

情報Ⅰは情報リテラシーやコンピュータ関連の知識や用語がたくさん出てくるだけでなく、単元によっては2進法の計算やプログラミングのような実技的な内容の単元があります。まずは本書の STEP 1 と STEP 2 で単元の基礎知識を身につけましょう。

 _____

用語を覚えてもテストの点数が上がりません……。

 _____

たくさんの演習で問題慣れしましょう。

STEP 1 と STEP 2 で基礎知識を身に着けたら、たくさんの問題に取り組みましょう。情報Ⅰは新科目ということもあり、学校の先生によって問題の出し方が大きく異なる科目です。 STEP 3 で様々な形式の問題に取り組み、身に着けた知識をアウトプットできる練習をしましょう。

 _____

情報Ⅰの勉強時間をあまり確保できません……。

 _____

1日3時間を2日に分けて、短期集中で学習しましょう。

情報Ⅰは短期間でも一気に点数が上がりやすい科目です。まずは STEP 1 ～ STEP 3 を3時間ほどかけて集中して覚えましょう。次に、テスト前日などに覚えた内容を復習しつつ、「定期テスト対策問題」や「探究問題」に取り組み、学習内容を定着させましょう。

本書の使い方

本書の特色

 情報Ⅰの重要な問題をもれなく収録

　本書は，令和４年度からの学習指導要領に対応した，情報Ⅰで必要とされる重要な問題を精選してとりあげました。本書１冊で情報Ⅰの基礎学力を身に付けることができます。

 カラーで見やすく，わかりやすい

　フルカラーで見やすく，わかりやすい紙面です。
　別冊の解答・解説は，取り外し可能で答え合わせもしやすくなっています。

 「定期テスト対策問題」で試験対策も安心

　各章末の「定期テスト対策問題」は，中間試験・期末試験に出やすい問題を100点満点のテスト形式で掲載してあります。試験前にやっておけば安心して試験に臨めます。また，「探究問題」は，探究的な理解を問う形式の問題ばかり集めていますので，多角的な視点を意識し，問いていきましょう。

本書の効果的な使い方

 「重要ポイント」で要点はバッチリ

　冒頭に重要な事項・用語をまとめてあります。しっかり覚えましょう。

 段階別に効率よく学習しよう

　問題は「基礎チェック問題」と「単元マスター問題」の２レベルに分かれています。まず基礎チェック問題を学習し，そのあと単元マスター問題に取りかかりましょう。

中間試験・期末試験の直前には
「定期テスト対策問題」をやろう

中間試験・期末試験の出題範囲がわかったら，その範囲の「定期テスト対策問題」で腕試しをしてみましょう。

 「探究問題」で実際の出題にも慣れよう

探究的な理解を問う形式のテストに慣れるために，「探究問題」にチャレンジしましょう。

スタディプランシートの効果的な使い方

　本書の巻頭には，中間試験・期末試験に向けた学習計画が作成できるスタディプランシートがついています。本から切り離して使ってください。

① 　テスト前１週間になったら学習計画を作成します。テストの日までにやるべきことを箇条書きで書き出して整理しましょう。

② 　学習計画ができたら，机の前に貼ったり，デスクマットの下に置いたりして，いつも見えるようにしておきましょう。

③ 　計画どおりにできたら，リストの右側にチェックマークをつけましょう。学習が終わったら，学習時間に応じてDaily Total（毎日の合計学習時間）欄に色をぬりましょう。

▼ スタディプランシートの記入例

WEEKLY STUDY PLAN

テスト直前1週間でやることを整理しよう。
2週間前から取り組む場合は2列使おう。

Name of the Test ［テスト名］
中間テスト

Test Period ［テスト期間］
5/27 ～ 6/30

Date	Subject To-Do List	Check
5/20 (月)	英語　教科書p20-25	✓
	英文法　参考書の要点見直し	✓
	化学　問題集p20-26	✓
5/21 (火)	数学　参考書の要点見直し	
	古文　定期テスト対策問題	
	現代文　定期テスト対策問題	
	英文法　問題集p21-26	

Daily Total
0分 10 20 30 40 50 60分
1時間
2時間
3時間
4時間
5時間
6時間

Daily Total
0分 10 20 30 40 50 60分
1時間
2時間
3時間
4時間
5時間
6時間

Daily Total
0分 10 20 30 40 50 60分

実際にその日勉強した累積時間分のマス目をぬろう。1マス10分。

CONTENTS もくじ

・・・・> 「解答と解説」は
別冊になっています。

1 ｜ 情報の特性と社会の発展

STEP 1 ｜ 重要ポイント

1 情報

1 ❶情報

- **データ**…現象や様子をコンピュータ等で処理できる形式にしたもの。
- **情報**…データに価値や意味を付与したもの。
- **知識**…情報を一般化して，問題解決に役立つよう体系化したもの。

2 ❷情報の特性

- **残存性**…相手に伝えてもなくならない。
- **複製性**…簡単にコピーできる。
- **伝播性**(でんぱ)…容易に広く伝わる。

2 情報社会

1 ❸社会の発展

- **狩猟社会**…人間が動物を狩ったり，魚を捕まえたりして生活していた社会。
- **農耕社会**…農作物を栽培して生活していた社会。
- **工業社会**…工場で機械を使って商品を大量に生産し，消費していた社会。**産業革命**がきっかけとなった。
- **情報社会**…コンピュータやメディアなどの発達により，情報のやりとりが人間の営みの中心となった社会。
- **新しい情報社会**…ロボットや人工知能などの技術を取り入れた社会。

2 Society5.0

- 国が目指すべき姿として提唱している，新しい情報社会の名称。

3 産業革命

- **（第1次）産業革命**…18世紀なかば。蒸気機関による工業の機械化。
- **第2次産業革命**…19世紀後半。電力による大量生産。自動車による大量輸送。
- **第3次産業革命**…20世紀後半。情報技術の発展に伴う自動化。
- **第4次産業革命**…現在。IoTや人工知能などの高度な情報技術。

❶
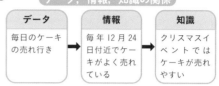

データ，情報，知識の関係

データ	情報	知識
毎日のケーキの売れ行き	毎年12月24日付近でケーキがよく売れている	クリスマスイベントではケーキが売れやすい

❷
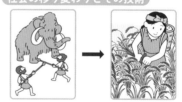

情報の特性

残存性	複製性	伝播性
相手に伝えてもなくならない。	簡単にコピーできる。	容易に広く伝わる。

❸

社会の移り変わりとその技術

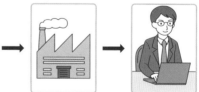

狩猟社会（Society1.0）
石斧，弓矢，言語など

農耕社会（Society2.0）
農耕具，文字など

工業社会（Society3.0）
産業機械や印刷技術など

情報社会（Society4.0）
コンピュータ，インターネットなど

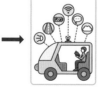

新しい情報社会（Society5.0）
IoT，ビッグデータ解析など

解答・解説は別冊 p.1

情報

❶ 現象や様子をコンピュータ等で処理できる形式にしたものを何というか。 〔　　　　　　　〕

❷ ❶に価値や意味を付与したものを何というか。 〔　　　　　　　〕

❸ ❷を一般化して，問題解決に役立つよう体系化したものを何というか。 〔　　　　　　　〕

情報の特性

❹ 「相手に伝えてもなくならない」という情報の特性を何というか。 〔　　　　　　　〕

❺ 「簡単にコピーできる」という情報の特性を何というか。 〔　　　　　　　〕

❻ 「容易に広く伝わる」という情報の特性を何というか。 〔　　　　　　　〕

情報社会

❼ 人間が，動物を狩ったり魚を捕まえたりして生活していた社会を何というか。 〔　　　　　　　〕

❽ 農作物を栽培して生活していた社会を何というか。 〔　　　　　　　〕

❾ 工場などで機械を使って商品を大量に生産し，消費していた社会を何というか。 〔　　　　　　　〕

❿ 18 世紀なかばに起こった，蒸気機関による工業の機械化が可能となった社会の変化を何というか。 〔　　　　　　　〕

⓫ コンピュータやメディアなどの発達により，情報のやりとりが人間の営みの中心となった社会を何というか。 〔　　　　　　　〕

⓬ ロボットや人工知能などの技術を取り入れた社会を何というか。 〔　　　　　　　〕

⓭ 国が目指すべき姿として提唱している，新しい情報社会の名称を何というか。 〔　　　　　　　〕

⓮ 現在起きている，IoT や人工知能などの高度な情報技術革新を何というか。 〔　　　　　　　〕

1 情報

よく出る

次の文章を読み，あとの問いに答えなさい。

わたしたちは日常生活において，インターネットや CM，チラシ，店頭の POP から商品の内容や価格などの情報を得ている。このように①情報とは，事物や出来事の内容や様子を示し，行動や意思決定の判断材料になる事柄である。

　　ア　　は，情報を分析して問題解決に役立つよう体系化したものである。また新しい情報は，既存の情報や　　イ　　を用いてつくられる。　　イ　　は実験や観察，調査などによって得られる。情報が発達することで，問題解決が容易にできるようになる一方，②情報の扱いを誤ると取り返しのつかないことになるので注意が必要である。

(1) 空欄**ア**，**イ**に当てはまる語を書きなさい。

　　　　　　　　　　　　　　　　　　　ア 〔　　　　　　　　〕 **イ** 〔　　　　　　　　〕

(2) 文中の下線部①について，情報の特性として適切でないものは次のうちどれか。**ア**～**エ**から 1 つ選び，記号で答えなさい。

　ア　形がある

　イ　容易に伝わる

　ウ　なくならない

　エ　コピーできる　　　　　　　　　　　　　　　　　　　　　　　　　　　　〔　　　　〕

(3) 文中の下線部②について，次の情報の特性における問題が生じる事例をそれぞれ答えなさい。

　　　　残存性 〔　　　　　　　　　　　　　　　　　　　　　　　　　　　　　〕

　　　　伝播性 〔　　　　　　　　　　　　　　　　　　　　　　　　　　　　　〕

2 情報社会

次の文章は，ただしさんとゆいさんの会話です。文章を読み，あとの問いに答えなさい。

ただしさん：このあいだ，調べものをしようとしてインターネットで検索をしてみたんだ。そうしたら，いろいろな検索結果が出てきて，どれを信用してよいか迷っちゃって困ってしまったよ。

ゆいさん　：わたしも悩むことが多いから，よくわかるよ。インターネットは便利だけど，情報の使い方によっては危険だし……。

ただしさん：そうだね。でも，昔はここまで情報が発達していなかったよね。授業で社会の発展について習ったけど，忘れてしまったから，少し復習しない？

ゆいさん　：いいね。それじゃ，昔のことから振り返っていこう。大昔は，人間は狩りや漁をして生活していたよね。

ただしさん：これは覚えてる。たしか，　　ア　　社会だったかな。このときは石斧や弓矢，言語などが発達したんだよね。

ゆいさん　　：何も情報がないなかで，これらが発達していったのはすごいことだよね。その後さらに，農作物を栽培する　イ　社会になり，農耕具や文字が発展したんだよ。

ただしさん：そうだったね。その後はどう発展したんだっけ……？

ゆいさん　　：18世紀なかばにはイギリスで　ウ　が起こり，工場で機械を使って商品を大量生産できるようになったんだよ。　エ　社会と呼ばれているね。わたしたちが使う教科書などの印刷技術も，このときに発展した技術だよ。

ただしさん：思い出した！　それから①これらの技術がさらに発展して，コンピュータが開発され，インターネットなど情報を速く伝達することが可能になったんだよね。

ゆいさん　　：そうそう。スマートフォンも今の生活を便利にする道具の1つだね。

ただしさん：今では，②人工知能を機械に搭載したり，ロボットが活躍したりと，さらなる発展を目指しているよね。Society　オ　なんて名称もあるし。

ゆいさん　　：まだまださらなる発展が続いていくから，わたしたちもその社会の一員として正しく情報を扱って，有効に活用していかなきゃね。

(1)　空欄ア～オに当てはまる語を書きなさい。

ア〔　　　　　　　　　〕　イ〔　　　　　　　　　　〕　ウ〔　　　　　　　　　　〕

エ〔　　　　　　　　　〕　オ〔　　　　　　　　　〕

(2)　文中の下線部①について，このような社会を何というか。

〔　　　　　　　　　　〕

(3)　文中の下線部②について，この社会での基盤となる技術を他に1つ挙げなさい。

〔　　　　　　　　　　〕

3　情報の特性

次の**ア～オ**を，それぞれ情報の特性によって分類しなさい。

ア　スマートフォンで撮影した写真を，写っている人全員にアプリで送信した。

イ　イベント来場の呼びかけをSNSで行ったところ，10分も経たずに多くの人が集まった。

ウ　インターネットで記事を検索し，スクリーンショットをとった。

エ　以前作成したレポートのファイルをコピーして，コピーしたファイルに上書きしながら新たなレポートを作成した。

オ　SNSで発信をした情報が誤りだと気づいたので削除しようとしたが，すでに多くの人に共有されてしまい，削除しても誤った情報が流れてしまった。

残存性〔　　　　　　　　〕

複製性〔　　　　　　　　〕

伝播性〔　　　　　　　　〕

2 | 創作物の利用ルール

1 知的財産

1 知的財産

- 小説や音楽，デザインなど，人間の知的創作活動によって生み出されたもの。

2 知的財産権

- **知的財産権**…知的財産を一定期間保護する目的で，創作者に与えられる権利。
- **産業財産権**…発明や産業に関する権利。特許庁に届け出て，認められると権利が発生する。**方式主義**。
- **著作権**…文芸や音楽，美術といった表現に関する権利。創作した時点で，自動的に権利が発生する。**無方式主義**。

2 個人情報とプライバシー

1 個人情報

- 生存する個人に関する情報で，そこに含まれる氏名などにより個人を識別できる情報。
- **個人識別符号**…マイナンバーやパスポート番号など，その情報単独で個人を識別できる情報。
- **要配慮個人情報**…人種や犯罪歴，社会的身分などの特に配慮を必要とする情報。

2 個人情報保護法

- 2003年に制定された，個人情報を扱う行政機関や企業などに対し，個人情報の適切な取り扱いを定めた法律。個人情報の保護を目的とする。

3 プライバシー

- 私生活や個人の秘密を他人に侵害されない権利。関連して，以下の権利が存在する。
- **肖像権**…他人から勝手に写真を撮られたり，自分が写った写真を無断で使われたりしない権利。
- **パブリシティ権**…著名人が自分の肖像などで生じる価値を独占できる権利。

❶ 知的財産権の構成

- ・特許権…新技術や発明を保護する（20年間）
- ・実用新案権…配置や形状などを保護する（10年間）
- ・意匠権…デザインを保護する（25年間）
- ・商標権…商品名やロゴを保護する（10年間）

❷ 「著作者の権利」と「著作隣接権」

- ・著作者人格権…著作者の権利の一つで，著作者の人格や意思を保護する。他人に譲渡・相続できない。
- ・著作権（財産権）…著作者の権利の一つで，著作者の財産である著作物を保護する。保護期間は，原則創作時から著作者の死後70年まで。
- ・著作隣接権…歌手や俳優，放送事業者など，著作物の伝達者が持つ権利。

❸ 個人情報

- ・基本四情報…個人情報のうち，氏名，性別，住所，生年月日の4つの情報。行政などが個人を識別するために用いられる。
- ・ジオタグ…スマートフォンなどで撮影した写真や動画に埋め込まれた，GPSによる位置情報。

知的財産

❶ 小説や音楽，デザインなど，人間の知的創作活動によって生み出されたものを何というか。 〔 　 〕

❷ ❶を一定期間保護するために，創作者に与えられる権利を何というか。 〔 　 〕

❸ ❷のうち，発明や産業に関する権利を何というか。 〔 　 〕

❹ ❷のうち，文芸や音楽，美術といった表現に関する権利を何というか。 〔 　 〕

❺ 著作者の権利のうち，著作者の人格や意思を保護するための権利を何というか。 〔 　 〕

❻ 著作者の権利のうち，その財産である著作物を保護するための権利を何というか。 〔 　 〕

個人情報

❼ 生存する個人に関する情報で，そこに含まれる氏名などにより個人を識別できる情報を何というか。 〔 　 〕

❽ ❼のうち，行政などが個人を識別するために必要とする氏名，性別，住所，生年月日の4つの情報を何というか。 〔 　 〕

❾ マイナンバーやパスポート番号など，その情報単独で個人を特定できる情報を何というか。 〔 　 〕

❿ 人種や犯罪歴などの特に配慮を必要とする情報を何というか。 〔 　 〕

⓫ スマートフォンなどで撮影した写真や動画に埋め込まれた GPS による位置情報を何というか。 〔 　 〕

⓬ ❼を扱う行政機関や企業などに対して，その適切な取り扱いを定めた法律を何というか。 〔 　 〕

プライバシー

⓭ 私生活や個人の秘密を他人に侵害されない権利を何というか。 〔 　 〕

⓮ 他人から勝手に写真を撮られたり，写真を無断で使われたりしない権利を何というか。 〔 　 〕

⓯ 著名人が自分の肖像などで生じる価値を独占できる権利を何というか。 〔 　 〕

よく出る　**1　知的財産と著作権**

次の文章を読み，あとの問いに答えなさい。

　わたしたちの身の回りは，音楽や映画，小説など，人の知的創作活動によって生み出された様々な創作物であふれている。これらを創った創作者に与えられる　**ア**　は，著作権と①産業財産権から成り立っている。著作権は，作品や発明が生み出された時点から自動的に権利が発生する　**イ**　であり，一方で産業財産権は，特許庁に届け出を提出し，届け出が認められると権利が発生する　**ウ**　である。

　基本的に②著作物を著作者の許可なく勝手に使用すると，法律によって罰せられる。著作者は，著作物の複製を制限したり，公の場での上映や演奏を制限したりする権利が認められている。このように，著作者の権利と利益の保護を目的として　**ア**　が定められているが，著作者の許可が得られた場合にはその範囲内での利用は可能である。これらの権利は，著作物や著作者を保護すると同時に，文化の発展に寄与している。

(1)　空欄**ア**〜**ウ**に当てはまる語を書きなさい。

　　　　　　ア〔　　　　　　　　　〕　**イ**〔　　　　　　　　　〕　**ウ**〔　　　　　　　　　〕

(2)　下線部①の産業財産権の説明として，誤っているものを以下の選択肢の中から1つ選びなさい。

　ア　産業財産権には，新しい技術や発明を保護するための特許権が含まれる。

　イ　産業財産権には，商品名やロゴなど商品を識別するマークを保護するための意匠権が含まれる。

　ウ　産業財産権には，商品の形状や配置といった構造を保護するための実用新案権が含まれる。

　エ　産業財産権に基づく保護期間には，出願から20年以上のものもある。　　　　〔　　　　　〕

(3)　文中の下線部②について，このことを定めた法律を何というか。また，著作権には例外的規定があり，著作者に承諾を得ないで著作物を利用できる場合がある。以下にその具体例を1つ示しなさい。

　　　　　　　　　　　　　　　　　　　　　　　　　　　　　法　律〔　　　　　　　　〕

　　具体例〔　　　　　　　　　　　　　　　　　　　　　　　　　　　　　　　　　　〕

2　個人情報

(1)　次の**ア**〜**オ**の個人情報の中から，基本四情報に含まれないものを1つ選びなさい。

　ア　氏名　　**イ**　住所　　**ウ**　マイナンバー　　**エ**　性別　　**オ**　生年月日　　〔　　　　　〕

(2)　SNSでプライベートの写真や動画を投稿する際に，気を付けるべき点について具体的に述べなさい。ただし，「ジオタグ」という言葉を使うこと。

　　〔　　　　　　　　　　　　　　　　　　　　　　　　　　　　　　　　　　　　　　〕

(3)　以下の選択肢を読み，その内容が正しいものには○を，誤っているものには×を書きなさい。

　ア　パスポート番号は，他の情報と組み合わせても個人が特定できない情報である。　〔　　　　〕

　イ　人種や社会的身分，犯罪歴といった情報は要配慮個人情報であり，取り扱いには注意が必要である。　　　　　　　　　　　　　　　　　　　　　　　　　　　　　　　　　　　　　　〔　　　　〕

3 個人情報とプライバシー

次の文章は，あきらさんとさきさんの会話です。文章を読み，あとの問いに答えなさい。

あきらさん：このあいだ，マイナンバーカードを家の中で失くしてしまったんだ。ベッドの下に落としていたんだけど，名前や住所が載っているから，万が一外で失くしたときのことを想像して，とても怖くなったよ。

さきさん　：それは怖いね。情報社会が発展して生活が便利になると同時に，①名前や住所，性別などの情報から個人が特定されて，誰かに悪用される危険性は高まっていると思う。

あきらさん：でも，個人を特定できる情報を扱う企業や行政機関，事業主に対して，情報の適切な取り扱いを定めた　ア　が 2003 年に制定されているよね。この法律によって，個人に関する情報を収集する場合にはその目的を明らかにすることや，本人の同意なしに第三者に情報を開示しないことなど，様々な規定が取り決められたんだって。

さきさん　：　ア　が制定された背景については知ってる？

あきらさん：②購入したはずのないクレジットカードの請求が来たり，③悪質な業者がクレジットカード会社を装って，個人にカード番号を入力させたりする詐欺が当時は増加していたと聞いたことがあるよ。

さきさん　：そうだね。わたしたちも 18 歳になったら，クレジットカードが作れるようになるから，自分の情報の取り扱いには十分に気を付けたいね。

あきらさん：そういえば，見て！　この前，友だちと遊園地に行ったときの写真なんだ。とても楽しかったから，SNS に投稿しようかな。

さきさん　：待って，この写真にはあきらさんの友だちの顔も写っているよ。勝手に投稿してしまうと，　イ　の侵害に繋がってしまうんじゃないかな。

あきらさん：本当だ！　危なかった。　ウ　の保護のためにも，一度友だちに写真を投稿していいかどうか確認してみるよ。

さきさん　：そうだね。昨日の新聞でも，芸能人が自分の写真を勝手に利用されて，　エ　の侵害の事例として取り上げられていたよ。

あきらさん：社会や日常生活の様々な場面で，情報の適切な取り扱いが必要なんだね。

さきさん　：わたしたちも適切な情報の扱い方を学んで，情報を有効に活用しましょう。

よく出る (1) 空欄ア〜エに当てはまる語を書きなさい。

ア〔　　　　　　　〕　イ〔　　　　　　　〕
ウ〔　　　　　　　〕　エ〔　　　　　　　〕

(2) 文中の下線部①について，このような情報を何というか。〔　　　　　　　〕

(3) 文中の下線部②，③について，このような詐欺をそれぞれ何というか。

下線部②〔　　　　　　　〕
下線部③〔　　　　　　　〕

1 情報技術の発展

1 情報システム

- **情報システム**…多くの情報機器をネットワークを使って連携させることで，大量の情報を高速に処理する仕組み。
- **❶POSシステム**…情報システムの一種。いつ，どこで，だれが，どの商品を購入したか，という情報を記録し，商品の補充などに活用する仕組み。
- **電子マネー**…情報システムの一種。貨幣と同じ価値をもつ電子的なデータ。
- **電子決済**…電子マネーで支払う決済。

2 情報技術の発展

- **人工知能（AI）** Artificial Intelligence …学習・認識など人間の知的な行動をコンピュータで模倣させる技術。
- **IoT** Internet of Things …あらゆるモノがインターネットに接続され，相互に通信する技術。
- **ビッグデータ**…IoTや情報システムによって収集される膨大なデータ。
- **❷仮想現実（VR）** Virtual Reality …仮想的な空間を作り出す技術。
- **❷拡張現実（AR）** Augmented Reality …現実の環境をコンピュータで拡張する技術。

2 情報技術の影響

1 健康への影響

- **テクノストレス**…情報機器を長時間使用することで生じる，精神的・肉体的なストレス。
  ⇒**VDT障害** Visual Display Terminals …ディスプレイを長時間見ることによる，肩こりや目の疲れなどの症状。
- **インターネット依存（ネット依存）**…インターネットが原因で日常生活に支障が出ている状態。

2 社会への影響

- **❸デジタルデバイド（情報格差）**…情報技術を活用できる人とできない人の間に存在する，入手できる情報や発言の機会の格差。

❶ **POSシステムの仕組み**

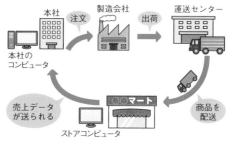

本社のコンピュータ ／ 本社 ／ 注文 ／ 製造会社 ／ 出荷 ／ 運送センター ／ 売上データが送られる ／ ○○マート ／ 商品を配送 ／ ストアコンピュータ

❷ **VRとAR**

VR ／ AR

❸ **デジタルデバイド**

知識やアクセスによる格差

スマートフォンを持ってない… ／ 子供 ／ コンピュータの使い方がわからない… ／ 高齢者 ／ SNS ／ ネットワーク ／ 情報技術を活用できる

地域や経済による格差

私たちの国のインターネット普及率は低いんだ！

私たちの国のインターネット普及率は高いんだ！

情報システム

❶ 多くの情報機器をネットワークを使って連携させることで，大量の情報を高速に処理する仕組みを何というか。　　　　　　　〔　　　　　　　〕

❷ いつ，どこで，だれが，どの商品を購入したか，という情報を記録し，商品補充などに活用する仕組みを何というか。　　　　　　〔　　　　　　　〕

❸ 貨幣と同じ価値をもつ電子的なデータを何というか。　　　　　〔　　　　　　　〕

❹ ❸で支払う決済を何というか。　　　　　　　　　　　　　　　〔　　　　　　　〕

情報技術の発展

❺ 学習・認識など人間の知的な行動をコンピュータで模倣させる技術を何というか。　　　　　　　　　　　　　　　　　　　　　〔　　　　　　　〕

❻ あらゆるモノがインターネットに接続され，相互に通信する技術を何というか。　　　　　　　　　　　　　　　　　　　　　〔　　　　　　　〕

❼ ❻や情報システムによって収集される膨大なデータを何というか。　〔　　　　　　　〕

❽ 仮想的な空間を作り出す技術を何というか。　　　　　　　　　〔　　　　　　　〕

❾ 現実の環境をコンピュータで拡張する技術を何というか。　　　〔　　　　　　　〕

情報技術の影響

❿ 情報機器を長時間使用することで生じる，精神的・肉体的なストレスを何というか。　　　　　　　　　　　　　　　　　　　　〔　　　　　　　〕

⓫ ディスプレイを長時間見ることによって，肩こりや目の疲れなどの症状が出ることを何というか。　　　　　　　　　　　　　〔　　　　　　　〕

⓬ インターネットから離れると不安になってしまうなど，インターネットが原因で日常生活に支障が出ている状態を何というか。　　〔　　　　　　　〕

⓭ 情報技術を活用できる人とできない人の間に存在する，入手できる情報や発言の機会の格差のことを何というか。　　　　　　　〔　　　　　　　〕

解答・解説は別冊 p.2

1 情報技術の発展

よく出る

次の文章は，あきらさんとあおいさんの会話です。文章を読み，あとの問いに答えなさい。

あきらさん：昨日，初めてコンビニでプリペイドカードを買ったんだ。それを使って通販サイトで買い物をしたんだけど，なんだか不思議な感覚だったなあ。

あおいさん：へえ！　私はまだプリペイドカードは買ったことがないな。プリペイドカードも，ICカードとかと同じように ア の一種だったよね。

あきらさん：そうだね。だから，プリペイドカードを使って決済をしたことは， イ をしたということになるね。ICカードを使うときは，チャージをするときにいくら入っているのかをすぐ確認できるけど，プリペイドカードはいくら払ったかわからなくなりそうで，ちょっと怖くなるね。

あおいさん：たしか， ア みたいな仕組みのことを①情報システムっていうんだったよね。だから，お金のデータも情報として，たくさんの情報機器に管理されているんじゃないかな。

あきらさん：なるほど。そう考えると，プリペイドカードにはいろいろな技術がつまっているんだね。

あおいさん：私たちにとっては， ア は身近なものだけど，歴史的にみるととても新しい技術なんだよ。情報技術はめざましく発展しているからね。

あきらさん：そうだよね。最近は囲碁や将棋とか，いろいろな分野で ウ が活躍しているのをよくニュースで見るよ。

あおいさん： ウ は人間の模倣をしているけど，人間には難しいこともできるからすごいよね。私の家にも，話しかけると ウ が答えてくれる機械があるんだ。自分で触らなくてもカーテンを閉めてくれるんだよ。

あきらさん：いいなあ。それ， エ っていう技術も使われているよね。

あおいさん：そうだよ。 エ は②大量の情報を集めることもできるし，これを ウ で分析して，企業などが経営方針を立てることもあるんだって。それから，身近なところではスーパーやコンビニエンスストアでも エ が使われているんだよ。

あきらさん：身の回りにもすごい情報技術がいっぱいあるんだなあ。きっと，これからもっと発展していくんだろうね。

あおいさん：そうだね。未来が楽しみ！

(1) 空欄ア〜エに当てはまる語を書きなさい。

ア〔　　　　　　　　　〕 イ〔　　　　　　　　　　〕 ウ〔　　　　　　　　　〕

エ〔　　　　　　　　　〕

(2) 文中の下線部①の一種である，コンビニやスーパーマーケットで商品の補充などに用いられる仕組みを何というか。　　　　　　　　　　　　　　　　　　　　　　　〔　　　　　　　　　　　〕

(3) 文中の下線部②について，この名称を答えなさい。

〔　　　　　　　　　　　〕

2　情報技術の影響

次の文章を読んで，あとの問いに答えなさい。

情報技術の発展は，わたしたちにさまざまな影響を与えた。インターネットの普及によって生活が便利になったり，より充実したものになったり，よい影響がたくさんある。しかし，情報技術の発展が与えるのは，決してよい影響ばかりではない。

例えば，①長時間コンピュータを使っていることで，寝不足や頭痛を感じたりイライラするようになったりして，強いストレスを感じることがある。それだけでなく，SNSの流行もあり，インターネットから少しでも離れると不安になるという　②　が問題になっている。

また，③デジタルデバイド（情報格差）という課題もある。情報技術の発展はわたしたちの生活を豊かにした一方で，解決すべき問題も多い。

(1)　文中の下線部①について，このような状態を何というか。

〔　　　　　　　　　　　　　〕

(2)　空欄②に当てはまる語を書きなさい。

〔　　　　　　　　　　　　　〕

よく出る (3)　文中の下線部③について，その意味を具体的に説明しなさい。

〔　　　　　　　　　　　　　　　　　　　　　　　　　　　　〕

3　情報技術

次のA～Dはそれぞれ情報技術の名前です。その技術に関係している文章を，下のア～エの中から選びなさい。

| A「VR」　　　B「AR」　　　C「IoT」　　　D「AI」 |

ア　外が暑かったので，家に帰る途中で外出先から家のエアコンをつけた。

イ　新しい椅子を通販で買おうとしたが，部屋に置けるかわからなかったので，置く予定の場所にスマートフォンのカメラを向け疑似的に椅子を再現した。

ウ　あるゴーグルをつけると，まるで自分が宇宙空間にいるかのような体験をすることができた。

エ　手が離せなかったので，スマートフォンに向かって「明日の天気は？」と質問した。

A〔　　　〕　B〔　　　〕

C〔　　　〕　D〔　　　〕

得点

/100

1 次の文章を読み，あとの問いに答えなさい。 (各7点，計35点)

　　① とは，現象や様子をコンピューター等で処理ができるようにまとめたものを指し，これに価値や意味付けを行うことで，情報として扱うことができる。

　20世紀なかばにコンピューターの発明やメディアの発達により情報のやりとりが人間の営みの中心となった。また，20世紀後半には②第3次産業革命が起こり，情報技術の発展に伴う自動化が加速していった。このような ③ を生きている私たちは，多くの情報を自分の知識として蓄えるために，情報を一般化して問題解決に役立つように体系化を行うことが求められている。

　また現在では，情報社会より一歩進み，④ロボットや人工知能などの技術を取り入れた新しい情報社会が目指すべき姿として提唱されている。

(1) 空欄①，③に当てはまる語を書きなさい。

(2) 文中の下線部②について，第1次，第2次産業革命の説明として正しいものは次のうちどれか。ア〜エからそれぞれ1つ選び，記号で答えなさい。

　ア　蒸気機関による工業の機械化。

　イ　農作物の栽培による生活の安定。

　ウ　製品の大量生産，大量消費による生活の向上。

　エ　電力による大量生産。自動車による大量輸送。

(3) 文中の下線部④について，国が提唱しているこの新しい情報社会の名称を何というか。

(1)	①		③	
(2)	第1次		第2次	
(3)				

2 次の文章を読み，あとの問いに答えなさい。 ((1)(2)(3)各7点，(4)10点，計31点)

　わたしたちの身の回りには，音楽や映画，小説などの創作物があふれている。基本的にこれらの創作物は著作者の許可なく勝手に使用できない。著作者は，①著作物の複製を制限したり，公の場での上映や演奏を制限したりする権利が認められている。著作者の権利と利益の保護を目的として②知的財産権が定められているが，著作者の許可が得られた場合にはその範囲内での利用は可能である。

　創作物だけでなく③人物の写真を撮った場合にも権利問題が発生する。その写真を勝手に公に公開すると，その人物の個人情報の流出やプライバシーの問題が発生する可能性がある。また，スマートフォンで撮影した写真には④ジオタグが埋め込まれていることもあることから，SNS等での写真の取り扱いには十分注意しなければならない。

(1) 下線部①について，著作物を保護する権利は創作物を創作した段階で自動的に権利が発生する。このことを何というか。

(2) 文中の下線部②について，知的財産権に含まれないものを**ア〜エ**から１つ選びなさい。

　ア　著作権

　イ　商標権

　ウ　産業財産権

　エ　パブリシティ権

(3) 下線部③について，勝手に写真を撮られたり無断で自分の映った写真を使われたりしない権利を何というか。

(4) 下線部④について，写真や動画に埋め込まれた個人情報にはどのようなものがあるか。１つ答えなさい。

(1)		(2)		(3)	
(4)					

---

3 次の文章を読み，あとの問いに答えなさい。 (⑴各7点，⑵⑶各10点，計34点)

　多くの情報機器を相互に連携させ，情報を処理する仕組みのことを ① といい，商品の購入者や場所などの情報を記録することで商品補充などに活用している POS システムや，電子的なデータを貨幣と同じ価値をもたせて電子決済をする ② などがその例である。

　このように身の回りの情報技術の発展は目覚ましく，最近では AI や③IoT などの技術が発展している。しかし一方で，これらには④テクノストレスやデジタルデバイドといった悪影響も散見されるという問題もある。

(1) 空欄①，②に当てはまる語を書きなさい。

(2) 文中の下線部③について，IoT の例として考えられるものを１つ書きなさい。

(3) 文中の下線部④について，その意味を説明しなさい。

(1)	①		②	
(2)				
(3)				

次の文章を読み，あとの問いに答えなさい。

高校生のたくまさんとみさきさんが情報について話しています。

たくまさん：改めて考えると，わたしたちの身の回りにはたくさんの情報技術が存在していることに気がつきますね。

みさきさん：確かにそうですね。昔は情報を得るのに今の何倍も苦労しなければならなかったと聞いたことがあります。コンピュータが発明され，①第3次産業革命後は，多くの情報に簡単にアクセスすることができるようになったようです。

たくまさん：情報の入手や発信が昔に比べ簡単にできるようになったのはとてもよいことですね。しかし，技術の発展により生活が便利になった一方で，②情報の正しい使い方や特性を理解していないと③様々な課題や問題に発展してしまう可能性があるので注意しなければなりません。

みさきさん：具体的にどのようなことが考えられますか？

たくまさん：例えば，自分の個人情報が流出して犯罪に巻き込まれる危険性があります。またそれだけではなく，自分が誰かの個人情報を流出させてしまうかもしれないのも気をつけなければならないことです。

みさきさん：自分が被害者になるだけではなく，簡単な気持ちで行ったことで加害者になってしまう可能性があるということですね。

たくまさん：その通りです。自分が被害者や加害者にならないためにも，情報の正しい知識を身につけておくことが重要だと思います。

みさきさん：わたしたちの身の回りでは，特に SNS に投稿するときや文章に他の文章を④引用するときに注意したほうがよいと思います。

たくまさん：そうですね。どんなときも個人情報を慎重に扱い，相手の⑤プライバシーを尊重することが大切ですね。

問題

(1) 文中の下線部①について，第3次産業革命は 20 世紀後半の出来事であり，その後の 2003 年に個人情報保護法が制定された。この間の期間に起きたと考えられることを簡潔に答えなさい。

[　　　　　　　　　　　　　　　　　　　　　　　　　　　　　　　　　　　　　　]

(2) 文中の下線部②について，情報の特性の 1 つに残存性がある。SNS を利用する際の情報の残存性について，どのような利点と欠点があると考えられるか。それぞれ簡単に答えなさい。

利点 [　　　　　　　　　　　　　　　　　　　　　　　　　　　　　　　　　　　　]

欠点 [　　　　　　　　　　　　　　　　　　　　　　　　　　　　　　　　　　　　]

(3) 文中の下線部③について，情報技術が発展していく中でデジタルデバイド（情報格差）という課題も生じている。これについて，身の回りでどのような人々との間にその格差が生じるか，具体的に答えなさい。

(4) 文中の下線部④について，次の文章はとある生徒が他の本を引用し作成した文章の一部である。この文章には，正しい引用とするために修正しなければならない点があるが，修正すべき点を述べた文として正しいものを下の**ア～エ**から１つ選びなさい。

> わたしは情報技術に関して様々なことを学びました。とある本には，「SNS等を利用するときはきちんと発信する情報の正確性を確かめてから発信しましょう」と書かれており，自分がSNSを利用する際の使い方について今一度考えてみようと思いました。その使い方について以下の約束事を決めたいと思います。……

ア 引用する部分のかぎかっこ（「　」）をはずして引用しなければならない

イ どの本からの引用かわかるように本の名前を明記しなければならない

ウ 著者の個人情報に配慮し，著者の名前を伏せなければならない

エ 引用する時は，文章に自分の考えは入れずに書かなければならない

〔　　　　〕

(5) 文中の下線部⑤について，情報社会以降はそれより前の社会と比べて，プライバシーにどのような点で気をつけなければならないか。情報や情報社会の特徴を踏まえて書きなさい。

1 ｜ メディアとコミュニケーション

STEP 1 ｜ 重要ポイント

1 メディア

1 ●メディア

- **伝達メディア**…情報の伝達や通信のために使われるメディア。
- **表現メディア**…情報を五感で捉えられるように表現するメディア。
- **記録メディア**…情報を記録，蓄積するメディア。

2 メディアの発展

- **マスメディア**…ある特定の発信者が不特定多数に向けて情報を発信するメディア。
- **ソーシャルメディア**…誰でも情報を相互に発信したり，共有したりすることができるメディア。
- **メディアリテラシー**…発信された情報の内容や信憑性（しんぴょうせい）を客観的に評価したり，情報を適切に発信，活用したりする力のこと。●フェイクニュースの確認や●クロスチェックの実行もこれに関わる。

2 コミュニケーション

1 インターネットの●コミュニケーション

- **匿名性**（とくめいせい）…インターネット上において，氏名や住所といった個人情報を隠したままやりとりが行えるという性質。
- **記録性**…インターネット上において行われた情報発信は常に記録が残っているという性質。必要な際にはそれを辿ることで発信者の特定も行うことができる。
- **プロバイダ責任制限法**…SNSやブログ等での誹謗中傷にあった際，発信者の情報を●プロバイダに請求できるよう定めた法律。
- **開示請求**…プロバイダに対して，情報の発信者に関する情報提供を求めること。

❶ **メディアの分類**

❷ **フェイクニュース**
事実とは異なる偽情報や誤情報を伝えるニュースのこと。

❸ **クロスチェック**
情報が信頼に足るものかどうか調べるために，情報源となる複数のメディアから得た情報を比較すること。

❹ **コミュニケーションの形**

❺ **インターネットサービスプロバイダ（ISP）**
インターネットへ接続する通信サービスを個人や学校に提供している事業者のこと。

メディア

❶ USB メモリや CD などのように，情報を蓄積するメディアのことを何というか。　〔　　　　　〕

❷ メディアの分類のうち，音楽や静止画，文字などを含むメディアを何というか。　〔　　　　　〕

❸ 情報の伝達や通信のために使われるメディアを何というか。　〔　　　　　〕

メディアの発展

❹ 誰でも情報を相互に発信したり，共有したりすることができるメディアのことを何というか。　〔　　　　　〕

❺ ある特定の発信者が不特定多数に向けて情報を発信するメディアのことを何というか。　〔　　　　　〕

❻ 複数の情報を比較し，情報の信憑性を確かめることを何というか。　〔　　　　　〕

❼ メディアで得た情報を客観的に評価したり，適切に情報を発信したりする力のことを何というか。　〔　　　　　〕

❽ 事実とは異なる偽情報や誤情報を伝えるニュースのことを何というか。　〔　　　　　〕

インターネットのコミュニケーション

❾ 「インターネット上で，氏名や住所を隠したままやり取りが行える」という性質を何というか。　〔　　　　　〕

❿ 「インターネット上の情報発信は常に記録が残っている」という性質を何というか。　〔　　　　　〕

⓫ インターネットへ接続する通信サービスを提供している事業者のことを何というか。　〔　　　　　〕

⓬ インターネット上で誹謗中傷に遭った際，プロバイダに開示請求ができることを定めた法律を何というか。　〔　　　　　〕

1　メディア

次の文章を読み，あとの問いに答えなさい。

近年，わたしたちの身の回りにはたくさんの情報が溢れている。またそれらの情報は，英語で「中間」という意味を示すメディア（media）を媒介して，日々わたしたちのもとに伝達されている。メディアには様々な種類があるが，大きく　ア　メディア，　イ　メディア，　ウ　メディアの 3 つに分けられる。

情報を視覚や聴覚から捉えられる形で示す　ア　メディアには　①　のような媒体が含まれ，情報を蓄積しておくことが目的の　イ　メディアには　②　などの媒体が含まれている。だがメディアの中でも，情報を入手する手段としては，テレビや Web サイトといった　ウ　メディアの媒体が一番身近な存在として頭に浮かべやすいだろう。

(1)　空欄ア～ウに当てはまる語を書きなさい。

ア〔　　　　　　　　　　〕　イ〔　　　　　　　　　　〕　ウ〔　　　　　　　　　　〕

よく出る (2)　空欄①，②に当てはまるメディアの媒体として正しいものを，語群より<u>すべて</u>選びなさい。

【語群】

雑誌　　音楽　　静止画　　DVD　　図や表　　USB メモリ　　ラジオ　　電話
ハードディスク　　文字　　動画　　CD

①〔　　　　　　　　　　　　　　　　　　　　　　　　　　　　　　　　　　　　　〕

②〔　　　　　　　　　　　　　　　　　　　　　　　　　　　　　　　　　　　　　〕

2　メディアの発展

よく出る (1)　メディアの中には，情報の発信や受信の方向性に応じて更に細かな分類が存在する。このうち「マスメディア」と「ソーシャルメディア」について，それぞれの特徴をもう一方との違いがわかるように説明しなさい。

マスメディア　　　〔　　　　　　　　　　　　　　　　　　　　　　　　　　　　　〕
ソーシャルメディア〔　　　　　　　　　　　　　　　　　　　　　　　　　　　　　〕

(2)　メディアに接したり，メディアを利用したりする際には「メディアリテラシー」が必要だとされている。この「メディアリテラシー」について説明した以下の文章の空欄ア～エに当てはまる語を答えなさい。

メディアリテラシーとは，メディアで得た情報の　ア　やその信憑性を　イ　に評価したり，情報を適切に自ら　ウ　したり活用したりする力のことである。また，誤った情報を伝える　エ　にだまされない力や，必要な情報に応じて適切なメディアを選択することができるという力もメディアリテラシーに含まれる。

ア〔　　　　　　　　　　〕　イ〔　　　　　　　　　　〕
ウ〔　　　　　　　　　　〕　エ〔　　　　　　　　　　〕

(3) メディアリテラシーをもつという点に関わる行動の1つとして「クロスチェック」というものがある。この「クロスチェック」とはどのような行動のことか。説明しなさい。

[   ]

3　インターネットのコミュニケーション

次の文章は，ただしさんとゆいさんの会話です。文章を読み，あとの問いに答えなさい。

ただしさん：最近はインターネットが普及していることで，人とのコミュニケーションをとるのがとても便利になっているよね。この前，気になっていた本のタイトルを忘れてしまったときに，その本の有名な台詞を添えてインターネットの掲示板で質問をしたら，詳しい人がすぐに教えてくれたんだ。

ゆいさん　：それは良かったね。知り合いの人が教えてくれたの？

ただしさん：いや，初めてやり取りをする人だったよ。①お互い掲示板にはニックネームで登録していたから，相手の名前や年齢もわからないままなんだ。

ゆいさん　：なるほど，インターネットならではのやり取りの仕方だね。でも，知らない人とやり取りをすると，場合によってはリスクも伴うんじゃない？

ただしさん：確かにそうだね。でも，僕の使っている掲示板をはじめとして②インターネット上のほとんどのサイトやSNSはやり取りをした情報の履歴が残るから，もし相手の人との間でトラブルが起きてしまったら，履歴を遡ることが解決の糸口になるんじゃないかな。

ゆいさん　：そうだね。そういえば，この前の情報の授業で先生が話していた③法律も，インターネット上でトラブルに遭ったときに役立つものじゃなかったかな？

ただしさん：ああ，そうだった。あの法律はSNSやブログで誹謗中傷に遭ってしまったときに助けになるって教わったね。書き込んだ相手の情報を請求できるって言っていたと思うよ。

ゆいさん　：それがいわゆる　 A 　っていう仕組みだよね。通信サービスを提供している事業者，つまり　 B 　に情報の発信者に関する情報を求められるって，ノートに書いてある。

ただしさん：トラブルや問題に巻き込まれないことが一番だけど，いざというときに自分を守ってくれる法律や性質について知っておくことも大切だね。

ゆいさん　：インターネット上でのコミュニケーションの利点と注意点を理解しながら，インターネットを上手に活用していけるといいな。

(1) 文中の下線部①，②について，このようなインターネットの性質を何というか。

　　　　　　　　　　　　　　　　　① [　　　　　　　　　]　② [　　　　　　　　　]

(2) 文中の下線部③に該当する法律名を答えなさい。

　　　　　　　　　　　　　　　　　　　[　　　　　　　　　　　　　　　　　]

(3) 文中の空欄A，Bに当てはまる語を答えなさい。

　　　　　　　　　　　　　　　　　A [　　　　　　　　　]　B [　　　　　　　　　]

2 情報デザイン

1 情報デザイン

1 情報デザイン

- **情報デザイン**…情報が相手に伝わりやすくなるように工夫した表現方法や技術。
- **①抽象化**…余分な情報を取り除き，必要な情報だけを抽象的に表現すること。
- **②可視化**…情報を視覚的に表現すること。
- **③構造化**…情報をまとまりごとに整理し，さまざまな手法を使って表現すること。

2 ユーザインタフェース

1 ユーザインタフェース（UI）

- パソコンのディスプレイやマウス，Web サイトの入力欄などの，人がコンピュータを操作する際に見たり触れたりする部分。

2 アクセシビリティ

- **アクセシビリティ**…幅広い人々にとって，情報やサービスへのアクセスのしやすさ。
- **④代替テキスト（代替文字列）**…画像に付けられる，画像と同等の内容のテキスト。
- **音声読み上げソフトウェア**…代替テキストを読み上げ，視覚に障がいがある人にも情報が伝わるようにする。
- **ユーザビリティ**…アクセシビリティが確保された状態で，利用者が使いやすいかどうかを表す尺度。

3 ユニバーサルデザイン

1 ⑤ユニバーサルデザイン

- 年齢や国籍や障がいの有無などによらず，誰にとっても使いやすいデザインのこと。
- **ユニバーサルデザインフォント（UD フォント）**…読み間違いが起こりにくいようにデザインされたフォント。

2 バリアフリー

- 高齢の人や身体の不自由な人が支障なく生活できるように障壁を取り除く工夫。

---

❶ 抽象化

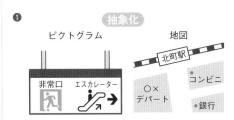

❷ 可視化

	国語	数学	英語	理科	社会
点数	87	59	72	60	91
平均点	72	60	58	65	63
偏差値	62.2	49.4	65.0	46.3	68.1

❸ 構造化

❹ 代替テキスト（代替文字列）

チーズを食べるネズミ

❺ ユニバーサルデザイン

情報デザイン

❶ 情報が相手に伝わりやすくなるように工夫した表現方法や技術のことを何というか。 〔　　　　　　　〕

❷ 余分な情報を取り除き，必要な情報を抽象的に表現することを何というか。 〔　　　　　　　〕

❸ 情報を視覚的に表現することを何というか。 〔　　　　　　　〕

❹ 情報をまとまりごとに整理し，さまざまな手法を使って表現することを何というか。 〔　　　　　　　〕

ユーザインタフェース

❺ 人がコンピュータを操作する際に見たり触れたりする部分のことを何というか。 〔　　　　　　　〕

❻ 幅広い人々にとって，情報やサービスへのアクセスのしやすさを何というか。 〔　　　　　　　〕

❼ 画像に付けられる，画像と同等の内容のテキストを何というか。 〔　　　　　　　〕

❽ ❻が確保された状態で，利用者が使いやすいかどうかを表す尺度を何というか。 〔　　　　　　　〕

❾ ❼を読み上げ，視覚に障がいがある人にも情報が伝わるようにするものを何というか。 〔　　　　　　　〕

ユニバーサルデザイン

❿ 年齢や国籍や障がいの有無などによらず，誰にとっても使いやすいデザインのことを何というか。 〔　　　　　　　〕

⓫ 読み間違いが起こりにくいようにデザインされたフォントのことを何というか。 〔　　　　　　　〕

⓬ 高齢の人や身体の不自由な人が支障なく生活できるように障壁を取り除く工夫を何というか。 〔　　　　　　　〕

よく出る **1** 情報デザイン

次の**ア〜ウ**の内容を，それぞれ使用された表現方法によって分類しなさい。

ア　記事を内容ごとにまとめて，階層構造を使って表した。

イ　文化祭の案内の地図を，簡単な図形を使い，重要な場所のみ目印をつけて表した。

ウ　データの増加量がひと目でわかるように，データを棒グラフで表した。

　　　　　　　　　　　抽象化〔　　　　〕　可視化〔　　　　〕　構造化〔　　　　〕

2 情報デザイン・ユーザインタフェース・ユニバーサルデザイン

次の文章は，さきさんとあきらさんの会話です。文章を読み，あとの問いに答えなさい。

さきさん　　：今度姉がカフェをオープンするんだけど，ホームページ作りの様子を見ているんだ。メ
　　　　　　　ニュー，使っているコーヒー豆の種類とブレンドの比率，駅からカフェまでの行き方な
　　　　　　　どを載せたいんだって。どのようにデザインしたら見やすいと思う？

あきらさん：このあいだ授業で習った，情報デザインを意識したらいいんじゃないかな。たとえば，
　　　　　　　メニューは食べ物や飲み物などでジャンル分けして載せると見やすくなるよね。

さきさん　　：たしか構造化という表現方法だったよね。コーヒー豆の比率は円グラフを使って可視化
　　　　　　　したら伝わりやすくなるし，①カフェまでの行き方は抽象化して表したらいいね。

あきらさん：画面のデザインやボタンの配置などの　**ア**　をわかりやすく配置することによって，
　　　　　　　ホームページの　**イ**　が向上するね。

さきさん　　：店内の写真を載せたら，カフェの雰囲気を伝えることができそう。

あきらさん：写真を載せるときには，　**ウ**　を使って店内の様子を文章で表現すると，目の不自由
　　　　　　　な人にも伝わるね。

さきさん　　：たしかに。文字を大きくしたり，読みやすいフォントを使ったりすれば，②誰でも利用
　　　　　　　しやすいホームページになりそうだね。姉に伝えてみる。

あきらさん：素敵なホームページになるといいね。

(1)　文中の下線部①について，抽象化の表現方法を使って駅からカフェまでの行き方をどのように表し
　　たらよいか，答えなさい。

　　〔　　　〕

(2)　空欄**ア〜ウ**に当てはまる語を書きなさい。

　　　　　　　　　　　　　　　　　　　　　　　　　　　　　　　　　　ア〔　　　　　　〕
　　　　　　　　　　　　　　　　　　　　　　　　　　　　　　　　　　イ〔　　　　　　〕
　　　　　　　　　　　　　　　　　　　　　　　　　　　　　　　　　　ウ〔　　　　　　〕

(3)　文中の下線部②のようなデザインのことを何というか。

　　　　　　　　　　　　　　　　　　　　　　　　　　　　　　〔　　　　　　　　　　　　〕

3 ユーザインタフェース

以下の問いに答えなさい。

(1) ユーザインタフェースの意味を簡潔に答えなさい。

[   ]

(2) 右の画像の代替テキストとしてふさわしいと思う文章を，以下の**ア**～**ウ**から１つ選びなさい。

ア 部屋の中にいるネコの画像

イ 椅子の上にいるネコの画像

ウ 椅子の上に座っている，魚をくわえたネコの画像

[   ]

(3) 代替テキストをつけることによって高められる，情報やサービスへの

アクセスのしやすさのことを何というか。

[   ]

(4) (3)が確保された状態で，使いやすいかどうかを表す尺度のことを何というか。

[   ]

(5) あるWebサイトで表示された以下の画面の改善案を三つ書きなさい。

[   ]

[   ]

[   ]

4 ユニバーサルデザイン

（よく出る）

以下の**ア**～**オ**のデザインのうち，ユニバーサルデザインであるものを<u>すべて</u>答えよ。

ア シャンプーのボトルの凹凸

イ 横に開く引き戸の扉

ウ 高いところにある荷物置き場

エ 右側に取っ手のついた電子レンジ

オ 立ち入り禁止の場所にあるピクトグラム

[   ]

解答・解説は別冊 p.5

得点

/100

1 次の文章を読み，あとの問いに答えなさい。　　　　　　　　（各7点，計28点）

　現代社会は①様々なメディアにあふれており，これらを介してわたしたちは情報を得ている。しかし，現代社会では多くの情報を簡単に得られるからこそ，偽の情報に踊らされないように気をつける必要がある。そのため，わたしたちには②情報の客観的な評価や適切に発信したり活用したりする力が求められている。

(1) 文中の下線部①について，以下の a 〜 c のそれぞれの特徴にあてはまるメディアを何というか。

　　a　情報を五感でとらえられるように表現する

　　b　情報を記録，蓄積する

　　c　情報伝達や通信の為に使われる

(2) 文中の下線部②について，このような力のことを何というか。

(1)	a		b		c	
(2)						

2 次の文章を読み，あとの問いに答えなさい。　　　（(1)各8点，(2)(3)各10点，計36点）

　①コミュニケーションの形は多様であるが，現代ではインターネット上でのコミュニケーションが多くなってきている。インターネット上では他人とコミュニケーションをとる場合，②個人情報を隠したままやり取りを行える匿名性や常に記録が残る記録性という性質がある。そのため，ある情報について必要がある場合は③プロバイダに請求を行い，匿名であってもその発信者をたどることができる。これらの性質は便利な一方で悪用されかねないものでもあるため，インターネット上のやり取りは注意して行わなければならない。

(1) 文中の下線部①について，コミュニケーションにおいて，1対1，多対多の例をそれぞれ1つ書きなさい。

(2) 文中の下線部②について，匿名性の利点を簡単に書きなさい。

(3) 文中の下線部③について，プロバイダとはどのようなものか。簡単に書きなさい。

(1)	1対1		多対多	
(2)				
(3)				

3 次の文章を読み，あとの問いに答えなさい。 ((1)(2)(3)各7点，(4)8点，計36点)

高校生のあいりさんとけんたさんがデザインについて話しています。

あいりさん：わたしたちが使っている身の回りのものには様々な工夫が凝らされたデザインのものが存在していますね。

けんたさん：そうですね。一般的に言われているような，格好いいデザインやかわいいデザインだけがよいものというわけではなく，地図やピクトグラムなどの①シンプルでわかりやすい情報デザインも素晴らしいですね。

あいりさん：これらのデザインは②誰にとっても使いやすいように工夫されていることが多く，わたしたちの生活を豊かにしてくれています。

けんたさん：使いやすさという面で考えると，③アクセシビリティやユーザビリティという指標もありますね。

あいりさん：そうですね。それらを工夫することも，使いやすさを考える上で大切なことですね。

(1) 文中の下線部①について，以下の特徴にそれぞれ当てはまる表現方法を何というか。

　　a　情報をまとまりごとに整理し様々な手法で表現すること

　　b　ピクトグラムなどに使われる，余分な情報を取り除き必要な情報だけをわかりやすく表現すること

(2) 文中の下線部②について，このような目的で作られたデザインのことを何というか。

(3) デザインに限らず，建物や道路などにある高齢者や身体の不自由な人が支障なく生活できるような工夫を何というか。

(4) 文中の下線部③について，アクセシビリティの説明として適切なものを次の**ア〜エ**の中から1つ選びなさい。

　　ア　利用者が利用しやすいか示す尺度

　　イ　幅広い人にとっての情報のアクセスのしやすさ

　　ウ　誰にでも使うことができるデザイン

　　エ　コンピューターの操作しやすさ

(1)	a		b	
(2)			(3)	
(4)				

次の文章を読み，あとの問いに答えなさい。

Aさん：①メディアはテレビや新聞のことだと思っていたのですが，他にもメディアと呼ばれているものがあると聞きました。

Bさん：わたしたちの身の回りには様々なメディアがあり，わたしたちはそれらを日々活用しながら生きています。メディアには大きく分けて，伝達メディア，表現メディア，記録メディアの3種類があり，それぞれテレビや新聞，文字や画像，紙やDVDが主な例となります。テレビや新聞などの伝達メディアが一般にはメディアとして有名ですね。

Aさん：テレビや新聞だけではなく，紙や文字もメディアの1つなんですね。知りませんでした。

Bさん：テレビや新聞を②マスメディアと呼んだりもします。また，これに似た言葉で，ソーシャルメディアというものも最近よく聞くようになってきましたね。

Aさん：ソーシャルメディアはSNSなどのことを指していますね。

Bさん：ええ。他には，情報デザインというものが重要視されてきています。

Aさん：情報デザインとはどのようなものですか？

Bさん：情報が相手に伝わりやすくなるように工夫した表現方法や技術のことです。これらには，③抽象化や可視化，構造化といった手法があります。

Aさん：わかりやすくなっているのはいいことですね。④アクセシビリティという言葉も聞いたことがあるのですが，それらに近い考え方ですか？

Bさん：そうですね。アクセシビリティは幅広い人にとっての情報やサービスへのアクセスのしやすさのことです。例えば，画像に代替テキストをつけたり，音声読み上げソフトウェアを導入したりして目の不自由な人でも画像や文字情報が伝わるように工夫しています。

Aさん：大切なことですね。

Bさん：この他にもユニバーサルデザインやバリアフリーというものがあります。

Aさん：ユニバーサルデザインは誰にとっても使いやすいデザインのことで，バリアフリーは高齢の方や体の不自由な方が支障なく生活を送ることができるように，日常生活での障壁を取り除くことですね。

Bさん：その通りです。

問題

(1) 文中の下線部①について，メディアについての次の**ア～エ**の文のうち誤っているものを1つ選びなさい。

　ア　表現メディアにはそれぞれ特性があり，伝える情報の向き不向きがある。

　イ　伝達メディアとは，情報の伝達や通信のために使われるメディアのことである。

　ウ　表現メディアは伝達メディアと記録メディアによって構成されている。

　エ　紙はCDやDVDよりも昔からあるメディアである。

〔　　　　〕

(2) 文中の下線部②について，ソーシャルメディアとマスメディアのどちらがよりフェイクニュースが発生しやすいと考えられるか書きなさい。また，そう考える理由を，2つの情報発信の違いの観点に触れながら答えなさい。

(3) 文中の下線部③について，次のa～cの情報をわかりやすく表すには，抽象化，可視化，構造化のどれを行えばよいか。それぞれ1つ選びなさい。

a　日本の輸出全体に占める機械類の割合

b　観光案内所のアイコン

c　会社の組織図

a〔　　　　　　　　〕
b〔　　　　　　　　〕
c〔　　　　　　　　〕

(4) 文中の下線部④について，アクセシビリティを向上させることによって，どのようなよいことがあると考えられるか。簡単に書きなさい。

1 ｜ ソフトウェアとハードウェア

｜ STEP 1 ｜　重要ポイント

1 　ハードウェア

1 ❶コンピュータの基本構成

- ❷**入力装置**…外部から命令を受ける装置。
- **記憶装置**…命令やデータを記憶する装置。
- ⇒ **主記憶装置（メインメモリ）**…演算装置と直接やりとりし，データを一時的に記憶する装置。
- ⇒ **補助記憶装置（ストレージ）**…長期的・日常的にデータを保存する装置。
- **演算装置**…命令を処理・計算する装置。
- ❸**出力装置**…外部に結果を出力する装置。
- **制御装置**…他の装置を制御する装置。

2 ハードウェアと CPU

- **ハードウェア**…入力装置や記憶装置のような，物理的な装置。
- **中央処理装置（CPU）**…演算装置と制御装置をまとめた呼び方。
- **インタフェース**…コンピュータと周辺機器を接続する規格。

2 　ソフトウェア

1 ソフトウェアとは

- **ソフトウェア**…ハードウェア上にある，用途に応じた処理をさせる手順を示したデータ。
- **プログラム**…ソフトウェアを構成するデータ。

2 ❸ソフトウェアの種類

- **応用ソフトウェア（アプリケーションソフトウェア）**…文章作成や表計算など，特定の作業をするためのソフトウェア。
- **基本ソフトウェア**…ハードウェアと応用ソフトウェアの仲介をするソフトウェア。
- **OS（オペレーティングシステム）**…基本ソフトウェアの一種。コンピュータを動かすための基本的な機能をもつ。

❶ **コンピュータの基本構成**

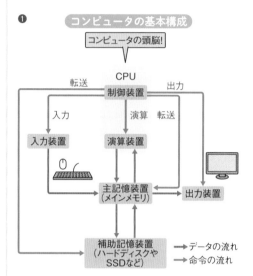

❷ **入力装置・出力装置**

入力装置	出力装置
・キーボード	・ディスプレイ
・マウス	・スピーカー
・タッチパネル	・プリンター
・マイク	

❸ **ソフトウェアの種類**

- 基本ソフトウェアの例
  Windows, Android, iOS など
- 応用ソフトウェアの例
  Microsoft word, excel, メールソフト　など

解答・解説は別冊 p.6

コンピュータの基本構成

❶ 外部から命令を受ける装置を何というか。 〔   〕

❷ 命令やデータを記憶する装置を何というか。 〔   〕

❸ 演算装置と直接やりとりし，データを一時的に記憶する装置を何という
か。 〔   〕

❹ 長期的・日常的にデータを保存する装置を何というか。 〔   〕

❺ 命令を処理・計算する装置を何というか。 〔   〕

❻ 外部に結果を出力する装置を何というか。 〔   〕

❼ 他の装置を制御する装置を何というか。 〔   〕

ハードウェアとCPU

❽ 入力装置や記憶装置のような，物理的な装置を何というか。 〔   〕

❾ 演算装置や制御装置をまとめた呼び方を何というか。 〔   〕

ソフトウェア

❿ ハードウェア上に存在する，用途に応じた処理をさせる手順を示したデ
ータのことを何というか。 〔   〕

⓫ ソフトウェアを構成するデータのことを何というか。 〔   〕

⓬ 文書作成や表計算など，特定の作業をするためのソフトウェアのことを
何というか。 〔   〕

⓭ ハードウェアと応用ソフトウェアの仲介をするソフトウェアのことを何
というか。 〔   〕

⓮ 基本ソフトウェアの一種で，コンピュータを動かすための基本的な機能
をもつものを何というか。 〔   〕

よく出る **1**　ハードウェア

次の図を見て，あとの問いに答えなさい。

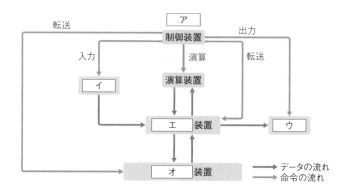

(1)　図の空欄**ア**には，コンピュータの制御装置と演算装置をまとめた呼び方が入ります。これを何というか。

ア〔　　　　　　　　　　　　　　　　〕

(2)　図の空欄**イ**，**ウ**に当てはまる語を書きなさい。

イ〔　　　　　　　　　〕　ウ〔　　　　　　　　　　〕

(3)　図の空欄**イ**では，コンピュータにマウスやキーボードを接続することがあります。このような機器を何というか。また，そうした機器を接続する場所を何というか。

機器の名称〔　　　　　　　　　　〕

場所〔　　　　　　　　　　〕

(4)　図の空欄**エ**，**オ**に当てはまる語を書きなさい。また，それぞれの特徴を説明しなさい。

エ〔　　　　　　　　　〕　オ〔　　　　　　　　　　〕

エ 装置〔　　　　　　　　　　　　　　　　　　　　　　　　〕

オ 装置〔　　　　　　　　　　　　　　　　　　　　　　　　〕

2　ソフトウェア

次の文章は，先生とつかささんの会話です。文章を読み，あとの問いに答えなさい。

つかささん：先生，この間の授業で教えてもらった①ソフトウェアとハードウェアの違いがよくわかりません。もう一度教えてください。

先生　　　：それじゃあ，一緒にこの間の授業の復習をしましょう。つかささんは，ソフトウェアは何からできているか，覚えていますか？

つかささん：えっと……，　ア　から構成されているんですよね？

先生　　　：その通りです。それに対して　イ　は，さまざまな物理的な装置のことを指します。

つかささん：なるほど。でも，　イ　は目に見えてわかるものが多い分，ソフトウェアのことがいまいちわかりません。もっと詳しく教えてください。

先生　　　：そうですね。ソフトウェアには大きくわけて2つの種類があります。1つは　ウ　で，もう1つは基本ソフトウェアです。

つかささん：　ウ　は具体的な作業をするためのソフトウェアですよね。では，基本ソフトウェアにはどんな役割があるのですか？

先生　　　：基本ソフトウェアは，　イ　を制御したり，　イ　とソフトウェアの間で仲介したりする役割を持っているんですよ。基本ソフトウェアの中でも代表的なものに，　エ　があります。

つかささん：　エ　が入っていることで，コンピュータを動かすことができるようになるんですね。

先生　　　：その通りです。もう復習はばっちりですね。

つかささん：はい。先生，ありがとうございました。

(1) 空欄ア〜エに当てはまる語を書きなさい。

ア 〔　　　　　　　　　　　　〕　イ 〔　　　　　　　　　　　　〕

ウ 〔　　　　　　　　　　　　〕　エ 〔　　　　　　　　　　　　〕

(2) 文中の下線部①について，これを説明しなさい。

〔　　　　　　　　　　　　　　　　　　　　　　　　　　　　　　　　　〕

よく出る **3** ハードウェアとソフトウェア

次の文章を読み，あとの問いに答えなさい。

しろうさんは，コンピュータの①電卓ソフトを使って，計算をしようとしています。しろうさんがパソコンの電源を入れると，コンピュータのスピーカーから音が鳴り，数秒後に画面が映りました。しろうさんは電卓ソフトを開き，数字をキーボードで入力しながら，いくつかの②計算をしました。

(1) 文中に出てきた入力装置と出力装置の具体的な名称をそれぞれ答えなさい。

入力装置 〔　　　　　　　　　　〕　出力装置 〔　　　　　　　　　　〕

(2) 文中の下線部①について，電卓ソフトは何というソフトウェアにあたるか，ソフトウェアの種類を答えなさい。

〔　　　　　　　　　　　　　　〕

(3) 文中の下線部②について，コンピュータの基本構成の中で，計算を処理するための装置を何というか。

〔　　　　　　　　　　　　　　〕

(4) (3)の装置に計算をするように命令を出している装置を何というか。

〔　　　　　　　　　　　　　　〕

2 | 2進法

① デジタル

❶ アナログデータとデジタルデータ

- **アナログデータ**…連続していて切れ目のないデータ。たとえば，液体の高さで温度を読む水銀温度計やアルコール温度計はアナログで表現している。

- **デジタルデータ**…連続したデータを区切って数値で表したデータ。たとえば，ディスプレイに表示される数字を読むデジタル温度計はデジタルで表現している。

② デジタルにおける情報の表し方

❶ 2進法と情報量の単位

- **2進法**…0と1だけで数を表現する方法。
- **2進数**…2進法で表した数値。
- **ビット（bit）**…2進数の1桁で表せる情報量の最小単位。スイッチのオン，オフのように2通りのものは1ビットで表現できる。
- **バイト**…8ビットの情報量を表す単位。1バイトは8ビットにあたる。1024（＝2^{10}）バイトは1キロバイト，1024キロバイトは1メガバイト，1024メガバイトは1ギガバイト，1024ギガバイトは1テラバイトという単位で表される。

❷ 文字のデジタル表現

- **文字コード**…1文字ずつに2進数の符号を対応させた表。文字コードにはコードの割り当て方や対象の文字によって種類があり，半角アルファベット，数字，記号に対応したASCIIコードなどがある。たとえばASCIIコードで「H」を表すと，「1001000」である。
- **フォント**…文字コードで割り当てられた文字は，フォントによって読める状態になって表示される。
- **文字化け**…文字が正しく表示されないこと。入力された文字をその文字コードとは異なる文字コードで表示された際などに起こる。

❶ 2進数

【2進数の表記の仕方】

2進数で表した数には（2）を表記することがある。たとえば，1010が2進数で表した数なら，$1010_{(2)}$と表記する。

【2進数の計算の仕方】

$1_{(2)}$に$1_{(2)}$を足すと桁が繰り上がり，$10_{(2)}$になる。たとえば$101_{(2)}$と$11_{(2)}$の足し算は以下のようになる。

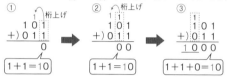

【10進数から2進数への変換の仕方】

10進数から2進数へ変換するには，10進数を2で割り算していったあまりを並べる方法を用いる。たとえば10進数の11を2進数に変換する方法は，以下のようになる。

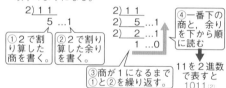

- ①2で割り算した商を書く。
- ②2で割り算した余りを書く。
- ③商が1になるまで①と②を繰り返す。
- ④一番下の商と，余りを下から順に読む

11を2進数で表すと $1011_{(2)}$

【2進数から10進数への変換の仕方】

2進数から10進数へ変換するには，2進数の桁ごとに持つ「重み」を掛ける方法を用いる。重みは，下位の桁から$2^0, 2^1, 2^2$……となる。たとえば，$1011_{(2)}$を10進数に変換する方法は，以下のようになる。

$$1011_{(2)} = 2^3 \times 1 + 2^2 \times 0 + 2^1 \times 1 + 2^0 \times 1$$
$$= \quad 8 + \quad 0 + \quad 2 + \quad 1$$
$$= \quad 11$$

【2進数と16進数の関係】

2進法で数値を表すと桁数が大きくなるため，2進数を4桁（＝4ビット）ずつまとめて表現する16進数というものがある。

10進数, 2進数, 16進数の関係

10進数	0	1	2	3	4	5	6	7	8
2進数	0	1	10	11	100	101	110	111	1000
16進数	0	1	2	3	4	5	6	7	8

10進数	9	10	11	12	13	14	15	16
2進数	1001	1010	1011	1100	1101	1110	1111	10000
16進数	9	A	B	C	D	E	F	10

2進数→16進数

①4ビットずつ区切る。

1 1100 1001(2)
1　C　9

1C9(16)

②16進数に変換して並べる。

16進数→2進数

$1C9_{(16)}$

1　1100　1001
11001001(2)

桁ごとに2進数に置き換えて並べる。

アナログとデジタル

❶ 連続していて切れ目のないデータのことを何というか。　〔　　　　　〕

❷ 連続したデータを区切って明確な数値で表したデータのことを何というか。　〔　　　　　〕

2 進法

❸ 0 と 1 だけで数を表現する方法のことを何というか。　〔　　　　　〕

❹ 2 進法で表した数値を何というか。　〔　　　　　〕

❺ 2 進数の 1 桁で表せる情報量の最小単位のことを何というか。　〔　　　　　〕

❻ 8 ビットの情報量を表す単位は何か。　〔　　　　　〕

❼ 1024（＝2^{10}）キロバイトは何メガバイトか。　〔　　　　　〕

❽ $10_{(2)}+111_{(2)}$を計算せよ。　〔　　　　　〕

❾ 10 進数の 13 を，2 進数に変換せよ。　〔　　　　　〕

❿ 2 進数の $101010_{(2)}$ を 10 進数に変換せよ。　〔　　　　　〕

⓫ 2 進数の $10111100001010_{(2)}$ を 16 進数に変換せよ。　〔　　　　　〕

文字のデジタル表現

⓬ 1 文字ずつに 2 進数の符号を対応させた表のことを何というか。　〔　　　　　〕

⓭ 文字コードで割り当てられた文字は，何によって読める状態になって表示されるか。　〔　　　　　〕

⓮ 入力された文字をその文字コードとは異なる文字コードで表示された際などに起こる，文字が正しく表示されないことを何というか。　〔　　　　　〕

解答・解説は別冊 p.7

1 アナログとデジタル

次の文章は，ただしさんとゆいさんの会話です。文章を読み，あとの問いに答えなさい。

ただしさん：情報の授業で，コンピュータはデジタル化された情報を扱うと習ったよね。どうしてコンピュータはアナログデータではなくデジタルデータを扱うんだろう？

ゆいさん　：まず，アナログとデジタルの違いについて考えてみよう。アナログデータは連続していて切れ目のないデータのことで，デジタルデータは連続したデータを区切って明確な数値で表したデータのことだったよね。

ただしさん：温度計に例えると，ディスプレイに温度が表示される温度計から得られるデータは　ア　データで，液体の高さで温度を読む水銀温度計から得られるデータは　イ　データってことだね。

ゆいさん　：そうだね。　ウ　データだと送受信や複製のあいだで微妙なズレが生じてしまい，劣化が進んだり編集や修正がしにくいというデメリットがあるよ。それに対して　エ　データは区切りのあるデータだから，ズレが生じることなく送受信や複製，編集や修正ができる。だけどこれらの利点だけじゃなく，①欠点もあるよ。

(1) 空欄ア〜エに「デジタル」,「アナログ」から正しいものを選んで書きなさい。

ア〔　　　　　　　　〕　イ〔　　　　　　　　〕
ウ〔　　　　　　　　〕　エ〔　　　　　　　　〕

(2) 文中の下線部①について，このデータの欠点を一つあげよ。

〔　　　　　　　　　　　　　　　　　　　　　　　　　　　　　〕

2 アナログとデジタル

以下のア〜エのデータを，アナログデータとデジタルデータに分けなさい。

ア　レコード

イ　電卓

ウ　絵が描かれた画用紙

エ　フィルムカメラ

アナログデータ〔　　　　　　　　〕　デジタルデータ〔　　　　　　　　〕

よく出る ## 3 2進法

次の2進数の計算をしなさい。

(1) $100_{(2)} + 100_{(2)}$　　　　　　　　　　　　　　〔　　　　　　　　〕

(2) $1111_{(2)} + 1010_{(2)}$　　　　　　　　　　　　　〔　　　　　　　　〕

(3) $11110000_{(2)} + 11111_{(2)}$　　　　　　　　　〔　　　　　　　　〕

4 **2進法**

次の2進数を10進数，16進数に変換せよ。

(1) $101_{(2)}$ 　　　　　　　　　　　　10進数 〔　　　〕　16進数 〔　　　〕

(2) $1111_{(2)}$ 　　　　　　　　　　　　10進数 〔　　　〕　16進数 〔　　　〕

(3) $10101010_{(2)}$ 　　　　　　　　　10進数 〔　　　〕　16進数 〔　　　〕

---

5 **2進法**

次の(1)〜(3)の10進数，(4)〜(6)の16進数を2進数に変換せよ。

(1) 50 〔　　　　　　　　　　　〕

(2) 75 〔　　　　　　　　　　　〕

(3) 100 〔　　　　　　　　　　　〕

(4) $8F_{(16)}$ 〔　　　　　　　　　　　〕

(5) $1A2B_{(16)}$ 〔　　　　　　　　　　　〕

(6) $ABCD_{(16)}$ 〔　　　　　　　　　　　〕

---

6 **2進法・文字のデジタル表現**

下の表は，半角アルファベット，数字，記号に対応したASCIIコードの一部である。以下の問いに答えよ。

文字	A	B	C	D	E	F	G	H	I	J	K	L
16進数	41	42	43	44	45	46	47	48	49	4A	4B	4C

(1) ASCIIコードのようなコードを，何というか。

　　　　　　　　　　　　　　　　　　　　　　　　　　　　〔　　　　　　　　　　　〕

(2) 上のASCIIコードの表を参考に，「BALL」を16進数のASCIIコードで表せ。

　　　　　　　　　　　　　　　　　　　　　　　　　　　　〔　　　　　　　　　　　〕

(3) 「E」のASCIIコードを2進数で表せ。

　　　　　　　　　　　　　　　　　　　　　　　　　　　　〔　　　　　　　　　　　〕

(4) 文字化けについて，正しい記述を**ア**〜**ウ**の中から1つ選びなさい。

　ア　コンピュータのエラーによって絵文字が正しく表示されないこと。

　イ　入力した文字コードとは異なる文字コードで表示してしまった際に文字が正しく表示されないこと。

　ウ　ウイルスによって文字が読めないように変換されて表示されること。

　　　　　　　　　　　　　　　　　　　　　　　　　　　　〔　　　　　　　　　　　〕

3 | 論理回路

1 コンピュータの計算の仕組み

- **論理演算**…コンピュータが行う，0と1の2つの情報だけを使った計算。
- **論理回路**…論理演算を行う回路。

2 基本論理回路

- **基本論理回路**…AND，OR，NOT の3種類の回路のこと。これらの組み合わせであらゆる計算を行うことができる。
- **真理値表**…入力と出力の関係をまとめた表。

1 ❶論理積（AND）回路

- 2つの入力と1つの出力をもつ。
- 2つの入力が直列につながれている。
- 2つの入力が両方とも1のときだけ，出力が1になる。

2 ❷論理和（OR）回路

- 2つの入力と1つの出力をもつ。
- 2つの入力が並列につながれている。
- 2つの入力のうち，どちらか一方が1であれば，出力が1になる。

3 ❸否定（NOT）回路

- 1つの入力と1つの出力をもつ。
- 入力した値と逆の値を出力する。

4 ❹半加算回路と全加算回路

- **半加算回路（半加算器）**…基本論理回路を組み合わせて作られた，2進法の1桁どうしの足し算を行う回路。2つの入力に対し，桁上がりC（Carry），和S（Sum）の2つの出力がある。
- **全加算回路（全加算器）**…半加算回路と OR 回路を組み合わせてできる，桁上げのできる回路。

---

❶ **AND 回路の回路図・図記号・真理値表**

回路図

図記号

真理値表

入力		出力
A	B	L
0	0	0
1	0	0
0	1	0
1	1	1

❷ **OR 回路の回路図・図記号・真理値表**

回路図

図記号

真理値表

入力		出力
A	B	L
0	0	0
1	0	1
0	1	1
1	1	1

❸ **NOT 回路の図記号・真理値表**

図記号

真理値表

入力	出力
A	L
0	1
1	0

❹ **半加算回路**

例：
A B C S
1 + 1 = 1 0

真理値表

入力		出力	
A	B	C	S
0	0	0	0
0	1	0	1
1	0	0	1
1	1	1	0

コンピュータの計算の仕組み

❶ コンピュータが行う，0と1の2つの情報だけを使った計算を何というか。 〔　　　　　　　　〕

❷ 上のような計算を行う回路を何というか。 〔　　　　　　　　〕

基本論理回路

❸ 基本的な論理回路のうち，2つの入力が直列につながれているような回路を，アルファベットを用いて何というか。 〔　　　　　　　　〕

❹ 基本的な論理回路のうち，2つの入力が並列につながれているような回路を，アルファベットを用いて何というか。 〔　　　　　　　　〕

❺ 基本的な論理回路のうち，1つの入力と1つの出力をもつ回路を，アルファベットを用いて何というか。 〔　　　　　　　　〕

❻ 回路の入力と出力の関係をまとめた表を何というか。 〔　　　　　　　　〕

❼ AND回路において，2つの入力が両方とも1のとき，出力される値は何か。 〔　　　　　　　　〕

❽ AND回路において，2つの入力が1と0のとき，出力される値は何か。 〔　　　　　　　　〕

❾ OR回路において，2つの入力が両方とも0のとき，出力される値は何か。 〔　　　　　　　　〕

❿ OR回路において，2つの入力が1と0のとき，出力される値は何か。 〔　　　　　　　　〕

⓫ NOT回路において，入力が0のとき，出力される値は何か。 〔　　　　　　　　〕

⓬ 基本論理回路を組み合わせて作られた，2進法の1桁どうしの足し算を行う回路を何というか。 〔　　　　　　　　〕

⓭ ❹と⓬を組み合わせてできる，桁上げのできる回路を何というか。 〔　　　　　　　　〕

1 コンピュータの計算の仕組み

次の文章の空欄**ア**，**イ**に当てはまる語を書きなさい。

コンピュータは，0と1という2種類の情報を扱い，その情報に対して演算を行うことでさまざまな機能を実現している。このようにコンピュータが行う演算のことを ア といい， ア を行う回路のことを イ という。中央処理装置（CPU）はこの イ を組み合わせて設計されている。

ア 〔　　　　　　　　　〕　イ 〔　　　　　　　　　〕

2 基本論理回路

次の文章を読み，下線部の内容が正しいものには○，間違っているものには正しい答えを書きなさい。

基本的な論理回路には，AND回路，OR回路，①BUT回路の3種類がある。回路の入力と出力の関係をまとめた表のことを②真理値表という。

AND回路は，③直列につながれた2つの入力に対し④2つの出力をもつ回路である。

基本論理回路を組み合わせた例に，2進法の1桁どうしの足し算を行う⑤全加算回路がある。

① 〔　　　　　〕　② 〔　　　　　〕　③ 〔　　　　　〕
④ 〔　　　　　〕　⑤ 〔　　　　　〕

3 基本論理回路

次の文章は，情報の田中先生とゆかりさんの会話です。文章を読み，あとの問いに答えなさい。

ゆかりさん：先生，このあいだの授業で論理回路について教えていただきましたが，難しかったのでもう一度教えてください。

田中先生　：いいですよ。一緒に復習していきましょう。

ゆかりさん：ありがとうございます。

田中先生　：まず，基本的な論理回路には3種類ありましたね。覚えていますか。

ゆかりさん：ええと，AND回路，OR回路，NOT回路の3種類でした。

田中先生　：素晴らしい，よく復習できていますね。このうち，①OR回路を例にとって見ていきましょう。OR回路は，2つの入力のうち，どちらか一方が1であれば，出力が1になる回路でした。

ゆかりさん：「入力」と「出力」というのが想像しづらく，難しいと感じてしまいます。

田中先生　：それならば，「入力」はスイッチ，「出力」はランプとして，具体的な回路で考えてみましょう。1と0という2つの情報は，それぞれスイッチのオンとオフ，ランプの点灯と消灯に対応しています。

ゆかりさん：だいぶ想像しやすくなってきました。

田中先生　：電源とランプからなる回路に，2つのスイッチA，Bが並列につながれているのがOR
　　　　　　回路です。ここで，スイッチAがオン，スイッチBがオフのとき，ランプは点灯してい
　　　　　　るでしょうか，それとも消灯しているでしょうか。

ゆかりさん：　ア　　　していると思います。

田中先生　：正解です。同じように考えると，ランプが　イ　　　しているのはどのようなときですか。

ゆかりさん：そうか，2つのスイッチが両方ともオフのときだけになりますね。

田中先生　：その通りです。では，スイッチとランプで考えたことを，入力と出力，0と1という言
　　　　　　い方に戻して，真理値表に整理していきましょう。

ゆかりさん：先生，真理値表は全部覚えないといけないものなのでしょうか。

田中先生　：そんなことはありませんよ。2つの入力があって，どちらの入力も0か1のどちらかの
　　　　　　値しかとらないとき，2つの入力の値の組み合わせは4通りありますね。この4通りの
　　　　　　それぞれについて，出力が0か1のどちらになるかをまとめたものが真理値表です。考
　　　　　　えている論理回路について，入力と出力の間のルールさえわかっていれば，表を埋めて
　　　　　　いくことができると思います。先程のスイッチとランプの関係を思い出して，OR回路
　　　　　　の真理値表をかいてみてください。

ゆかりさん：②こんな感じになりました。

田中先生　：正解です！　他の基本的な論理回路についても，スイッチとランプに置き換えて考えて
　　　　　　みるとわかりやすいかもしれませんね。回路が複雑になっても，表に整理していくこと
　　　　　　で，入力と出力の関係が一目でわかるようになりますよ。

ゆかりさん：少しわかるようになった気がします。ありがとうございました！

(1)　空欄ア，イに「点灯」または「消灯」のどちらかを入れなさい。

　　　　　　　　　　　　　　　　　　　ア〔　　　　　　　　　〕イ〔　　　　　　　　　〕

よく出る (2)　文中の下線部①について，OR回路の図記号をかきなさい。

よく出る (3)　文中の下線部②について，右の表はゆかりさんがかいたOR回路
　　　　の真理値表です。空欄を埋め，表を完成させなさい。

入力		出力
A	B	L
0	0	
1	0	
0	1	
1	1	

1 音

1 音の表現

- **周波数**…1秒間に含まれる波の数。単位はヘルツ（Hz）。
- **周期**…1個の波が伝わる時間。単位は秒。

2 音のデジタル化（PCM方式）

- **標本化（サンプリング）**…波を一定の時間間隔で分割し，その時間ごとの波の高さを取り出す。
- **量子化**…電圧を一定の間隔で区切り，標本化で取り出した波の高さを最も近い段階値で表す。
- **量子化ビット数**…量子化する際の段階の数。
- **符号化**…量子化した波の高さの数値を2進数に置き換える。

2 画像

1 カラー画像

- **光の三原色**…赤（Red），緑（Green），青（Blue）。加法混色。
- **色の三原色**…シアン（Cyan），マゼンタ（Magenta），イエロー（Yellow）。減法混色。
- **CMYK**…CMYにK（Key tone：黒）を追加。書籍やチラシの印刷に使われる。
- **画素（ピクセル）**…画像を構成する最小単位。

2 画像のデジタル化

- **解像度**…画素の細かさ。単位は1インチ当たりの画素数を表すdpiを用いる。
- **階調**…光の明るさを表す段階のこと。RGB256階調で約1677万色を表現する規格をフルカラーという。

3 図形

- **ラスタ形式**…画像を画素の濃淡で表す。ペイントソフトウェアで使われる。
- **ベクタ形式**…点の座標と線の角度，太さなどのデータをもとに表す。ドローソフトウェアで使われる。

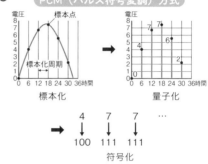

❶ PCM（パルス符号変調）方式

標本化 → 量子化

→ 4 7 7 …
↓ ↓ ↓
100 111 111
符号化

・標本点…標本化で取り出した点
・標本化周期…取り出す間隔
・標本化周波数（Hz）…1秒間に標本化する回数

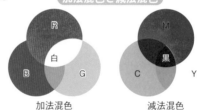

❷ 加法混色と減法混色

加法混色　　　　減法混色

❸ 解像度の高さによる画像の違い

解像度が高いほど画素数が多いので，実際の像に近い表現になる。

解像度 480×480　　　解像度 32×32

❹ ラスタ形式とベクタ形式

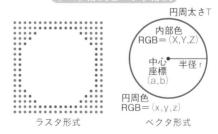

円周太さT
内部色
RGB=(X,Y,Z)
中心座標(a,b)　半径r
円周色
RGB=(x,y,z)

ラスタ形式　　　ベクタ形式

解答・解説は別冊 p.8

音の表現

❶ 1秒間に含まれる波の数を何というか。 〔　　　　　〕

❷ ❶の単位をカタカナで何というか。 〔　　　　　〕

❸ 1個の波が伝わる時間を何というか。 〔　　　　　〕

音のデジタル化

❹ 波を一定の時間間隔で分割し，時間ごとの波に高さを取り出す作業のことを何というか。 〔　　　　　〕

❺ 量子化した波の高さの数値を2進数に置き換えて表すことを何というか。 〔　　　　　〕

❻ ❹や❺のような工程を経て，音声情報を2進数の符号に変換する方式を何というか。 〔　　　　　〕

❼ 量子化する際の段階の数のことを何というか。 〔　　　　　〕

画像のデジタル化

❽ 光の三原色である赤，緑，青のそれぞれの色の光を混ぜると白に近づくような色の混ざり方を何というか。 〔　　　　　〕

❾ 色の三原色はシアン，イエロー，あと一つは何か。 〔　　　　　〕

❿ CMYK のうち K が表す色は何色か。 〔　　　　　〕

⓫ 画像を構成する最小の単位を漢字2文字で何というか。 〔　　　　　〕

⓬ 画像が実際の像に近い表現になるのは解像度が高いときと低いときのどちらか。 〔　　　　　〕

⓭ 光の明るさを表す段階のことを何というか。 〔　　　　　〕

⓮ 約1677万色を表現する規格を何というか。 〔　　　　　〕

⓯ ドローソフトウェアで使われる，点や線のデータをもとに図形を表す形式を何というか。 〔　　　　　〕

解答・解説は別冊 p.8

1 音の表現

次の文章を読み、あとの問いに答えなさい。

わたしたちは身の回りを様々な①音に囲まれて生活している。スマートフォンに音を録音したり、CD や電話から音を出して聞いたりするためには、音をデジタル化して扱わなければならない。

音は空気の振動が ア として伝わる現象である。コンピュータ等で音を扱えるようにする場合は、音の ア の形を、デジタルデータに変換している。このデジタルデータに変換する前の電気信号のことを、デジタルデータに対して イ といい、デジタルデータに変換することをA / D変換という。音声を②スマートフォン等の録音アプリで録音すると様々な形をした ア を見ることができる。

(1) 空欄ア、イに当てはまる語を書きなさい。

ア 〔   〕 イ 〔   〕

(2) 文中の下線部①について、音の特徴として適切でないものは次のうちどれか。ア〜エから 1 つ選び、記号で答えなさい。

ア 大小の違いがある

イ 空気の振動が独立したものである

ウ 真空状態では聞こえない

エ 高低の違いがある   〔   〕

(3) 文中の下線部②について 1 秒間に含まれるアの数を何というか答えなさい。また、その単位をカタカナで答えなさい。

アの数 〔   〕

単位 〔   〕

2 音のデジタル化

よく出る

次の文章は、はじめさんとまいさんの会話です。文章を読み、あとの問いに答えなさい。

はじめさん：このあいだ、好きなアーティストの CD を聞いていたのだけど、形がない歌や音楽などの音声をデータ化するのってどうやっているのかな？

まいさん　：録音した音声データを ア と呼ばれる方式を使って 2 進数の符号に変換してデータ化しているらしいよ。

はじめさん：情報の授業で習った方式だね！　でも手順を忘れてしまったから復習したいな。

まいさん　：そうだね。それじゃあ、順番に振り返っていこう。初めにマイクロホンなどで録音して イ に変換した音声を一定の時間間隔で区切って、波の高さを量として取り出すんだけど、このことをなんていうか覚えているかな？

はじめさん： ウ だね。この作業をするときの時間間隔を エ ということも覚えているよ。

まいさん　：いいね。では次に、 ウ で取り出した波の高さを電圧で区切って、最も近い段階値で表すことを何というかな？

はじめさん：│ **オ** │だ。思い出してきたぞ。その後読み取った数値を 2 進数に変換する，このことを
符号化と言うのだったね。

まいさん　：大正解！　CD などから聞こえる音声は，2 進数の符号が│ **イ** │に変換されてスピー
カーやイヤホンから出力されることで私たちの耳に届くんだよ。

はじめさん：そうだったんだ。2 進数ということは，例えば読み取った数値が 7 だった場合，│ **カ** │
という 3 桁の数字になるね，符号化すると音声も 0 と 1 だけで表せるなんてすごいな。

まいさん　：そうだね，でも機械によってはすべての音声を拾ってデータ化しているわけではないん
だよ。例えば①従来のスマートフォンは人が使う周波数に合わせて伝送できる音声を制
限することで通信量を少なくしているんだ。

はじめさん：そうなんだ。ということは②スマートフォンで音声をデータ化するときは時間間隔であ
る│ **ウ** │幅を意図的に変えているんだね。電話の声と実際の声に違いがあるのはそうい
う理由だったんだ。

(1)　空欄**ア〜カ**に当てはまる語を書きなさい。

ア〔　　　　　　　〕　イ〔　　　　　　　〕　ウ〔　　　　　　　〕

エ〔　　　　　　　〕　オ〔　　　　　　　〕　カ〔　　　　　　　〕

(2)　文中の下線部①について，周波数が 3500〜4500 Hz とされる鈴虫の鳴き声はスマートフォンで拾
うことができるか。　　　　　　　　　　　　　　　　　　　　〔　　　　　　　　〕

(3)　文中の下線部②について，波の値の変化を高い精度で表し，実際の音声に近づけるには│ **ウ** │幅
をどのように変えればよいか。また，│ **ウ** │幅をそのように変えたとき，データ量は大きくなるか，
小さくなるか。

│ **ウ** │幅〔　　　　　　　　〕

データ量〔　　　　　　　　〕

3　画像のデジタル化

次の**ア〜オ**の内容をそれぞれラスタ形式，ベクタ形式の特徴によって分類しなさい。

ア　ペイントソフトウェアで使われる。

イ　ドローソフトウェアで使われる。

ウ　写真などの複雑な画像を拡大するとジャギー（ギザギザ）が現れる。

エ　画像を碁盤の目のように並んだドットの集まりで表す。

オ　線の太さや点の座標などのデータをもとに画像を表す。

ラスタ形式〔　　　　　　　　〕　ベクタ形式〔　　　　　　　　〕

定期テスト対策問題③

解答・解説は別冊 p.9

得点

/100

1 右の図を見て，次の問いに答えなさい。

((5)は各2点，他は各5点，計38点)

(1) コンピュータの構成のうち，外部から命令を受ける装置や，命令やデータを記録する装置などの物理的な装置を何というか。

(2) (1)上に存在する，用途に応じた処理をさせる手順を示したデータのことを何というか。

(3) 図のAにあてはまる装置をまとめた呼び方を①漢字と②アルファベットでそれぞれ何というか。

(4) 図のB，Cにあてはまる装置を何というか。

(5) 次の①～④は図のD，E，Fのどの装置か。それぞれ記号を書きなさい。

① プリンター　　② マウス　　③ SSD　　④ ディスプレイ

```
        転送    ┌─A─┐   出力
           ┌───│ B │───┐
           │   └───┘   │
      入力 │    演算    │ 転送
    ┌─────┐│  ┌───┐  │
    │D 入力装置│  │ C │  │
    └─────┘│  └───┘  │
        │   │    │    │
        ↓   ↓    ↓    ↓
        主記憶装置        E 出力装置
           │
           ↓
        F 補助記憶装置   ⟶ データの流れ
                        ⟶ 命令の流れ
```

(1)		(2)	
(3)	①	②	
(4)	B	C	
(5)	①	②	③	④

2 次の文章を読み，あとの問いに答えなさい。

(各6点，計24点)

　私たちが普段目にしている数字は10進数というもので，一つの数の位を0～9で表し，10になると一桁増える。これに対しコンピュータでは①0と1だけで数を表す方法が使われている。この方法で表された数は，桁が多く扱いにくいため16進法で表すことが多い。

　文字をコンピュータで扱う際は，②1文字ずつに数字を対応させて数値で表している。このように情報を数字で表すことでコンピュータで処理や計算ができるようになっている。

(1) 文中の下線部①について，この方法を何というか。

(2) (1)で表した1桁の情報量の最小単位を何というか。

(3) 文中の下線部②について，このことを何というか。

(4) 16進数 $E3_{(16)}$ を(1)の方法を用いて変換しなさい。

(1)		(2)	
(3)		(4)	

3 次の文章を読み，あとの問いに答えなさい。 (各6点，計18点)

　コンピュータ上で様々な処理を行う際，コンピュータは，データや情報を①0と1の2つの情報だけに変換したものを使って計算している。この計算を行う回路のうち，②2つの入力値が直列につながれているような回路をAND回路という。

(1) 文中の下線部①について，このことを何というか。

(2) 文中の下線部②について，2つの入力が並列につながれているような回路を何というか。

(3) AND回路の説明として正しいものを，次の**ア～ウ**の中から選びなさい。

　　ア 2つの入力が両方とも1のときだけ，出力が1になる。

　　イ 2つの入力が両方とも0のときだけ，出力が1になる。

　　ウ 2つの入力のうち，どちらか一方が1であれば，出力は1になる。

(1)		(2)	
(3)			

4 次の文章を読み，あとの問いに答えなさい。 (各5点，計20点)

　私たちの身の回りにある音をコンピュータで扱えるようにするには，①音が作り出す波を切り取ったり数字に変換したりして，②音声情報を符号に変換しなければならない。

　また，写真やイラストなどの画像をコンピュータで扱う際は，実際の画像との③色の違いや解像度，④画像を表す形式に注意しなければならない。

(1) 文中の下線部①について，1秒間に含まれる波の数を何というか。

(2) 文中の下線部②について，標本化や量子化といった工程を経てこのように変換する方式を何というか。

(3) 文中の下線部③について，書籍やチラシに使われる黒以外の三原色の説明として正しいものを，次の**ア～エ**の中から選びなさい。

　　ア 赤（Red），緑（Green），青（Blue）で，混ぜると明るさが増し，白に近づく。

　　イ 赤（Red），緑（Green），青（Blue）で，混ぜると明るさが減り，黒に近づく。

　　ウ シアン（Cyan），マゼンタ（Magenta），イエロー（Yellow）で，混ぜると明るさが増し，白に近づく。

　　エ シアン（Cyan），マゼンタ（Magenta），イエロー（Yellow）で，混ぜると明るさが減り，黒に近づく。

(4) 画像を画素の濃淡で表す形式を何というか。

(1)		(2)	
(3)		(4)	

1 　大樹さんは帰宅途中でパソコン部の先生と会った。次の会話文を読んで，あとの問いに答えなさい。

先生　　　：音楽を聴いていたんだね。

大樹さん：配信された音楽をダウンロードしてスマホに入れているんです。

先生　　　：現在はデジタルが主流だけど，私はアナログ派だから，音楽はもっぱらレコードだよ。

大樹さん：①アナログとデジタルはどこが違うのですか？

先生　　　：アナログは音が連続しているけど，デジタルは一定時間間隔に区切って音を拾い出し，②デジタル化，つまり2進法の数値に変化しているんだ。

大樹さん：デジタル化のしかたについてくわしく教えてくれませんか。

先生　　　：まずは，音の波を一定の時間間隔で区切り，その時間ごとの波の高さを取り出す。これを③標本化というんだ。このときの時間間隔をサンプリング周期というよ。

　　　　　　次に，電圧を一定の間隔で区切り，標本化で取り出した波の高さを最も近い値に割り当てる。これを④量子化というよ。

　　　　　　そして，量子化した波の高さの数値を2進法の数値に置き換える。これを⑤符号化というんだ。

大樹さん：わかりました。最近，音源に近く音がとてもよいというハイレゾというのを聞きますが，これはふつうに配信されているものとどう違うのですか？

先生　　　：より，アナログに近い音になるようにデジタル化したものなんだ。ふつうに配信されている音楽のデータと比べ，　　　　⑥　　　　。

大樹さん：音がよいのに，配信はなぜハイレゾが主流にならないのですか？

先生　　　：購入するのにハイレゾは価格が高いこともあると思うけど，　　　　⑦　　　　ことが，まだまだ広く普及しない理由だと思うよ。

問題

(1)　文中の下線部①について，アナログと比べ，デジタルのメリットとデメリットをそれぞれ1つ書きなさい。

(2) 文中の下線部②について，デジタル化された音楽としては，CD がある。CD は，デジタル化されたデータが記録されている媒体である。

音楽 CD は一般的に，1 秒間に 44100 回サンプリングを行い，16 ビットの数に量子化されている。左と右で別の音が流れるステレオ（2 チャンネル）で記録するとすると，1 分間の音楽を記録するのに必要とするデータ量は何バイトか。

〔　　　　　　　　　　　　　〕

(3) 下線部③〜⑤について，図 1 は標本化の例，図 2 は標本化したものを量子化した例である。図 2 をもとに各時間について符号化しなさい。

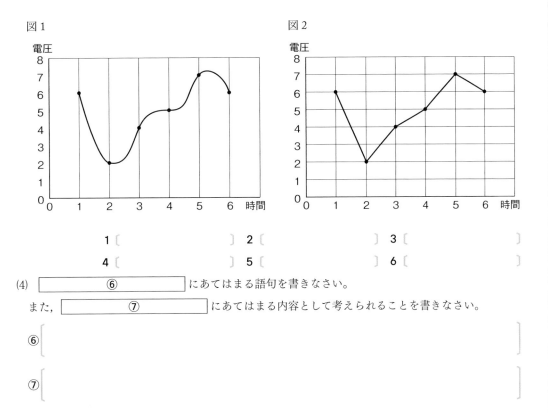

図 1

図 2

1 〔　　　　　　　〕　2 〔　　　　　　　〕　3 〔　　　　　　　〕

4 〔　　　　　　　〕　5 〔　　　　　　　〕　6 〔　　　　　　　〕

(4) ⑥ にあてはまる語句を書きなさい。

また，⑦ にあてはまる内容として考えられることを書きなさい。

⑥ 〔　　　　　　　　　　　　　　　　　　　　　　　　　　　　　　　　　〕

⑦ 〔　　　　　　　　　　　　　　　　　　　　　　　　　　　　　　　　　〕

1 ネットワーク

1 ネットワークと通信

1 インターネット

- **①LAN（ローカルエリアネットワーク）**…限られた範囲でコンピュータを接続したネットワーク。無線 LAN での通信技術に**②Wi-Fi**がある。
- **クライアントサーバシステム**…サービスを要求するクライアントとサービスを提供するサーバからなるシステム。
- **WAN（広域ネットワーク）**…LAN 同士を広い範囲で結んだもの。
- **インターネット**…世界中の LAN や WAN が接続され発展したネットワーク。自宅や学校からインターネットに接続するにはプロバイダ（ISP）との契約が必要。
- **ルータ**…パケットを別のネットワークに送る際に適切な方向に送り出し、ネットワーク同士を接続する装置。

2 通信方式

- **回線交換方式**…電話など、回路を独占し、通信中に他の人が割り込めない方式。
- **パケット交換方式**…データをパケットという小さな単位に分割し、同じ回線に混在させて流すことのできる方式。パケットには**ヘッダ**と呼ばれる送り状の役割を果たす部分がある。

2 情報通信

1 プロトコル

- **プロトコル**…情報通信における約束事。
- **③TCP/IP**…プロトコル群の一つ。これに基づいてデータの送受信が行われる。

2 IP アドレス

- **④IP アドレス**…コンピュータや通信機器に割り当てられた番号。
- **グローバル IP アドレス**…インターネット上で一意な宛先となる IP アドレス。

---

① 有線 LAN と無線 LAN

有線 LAN…直接ケーブルでつなぐ。
無線 LAN…電波を通してつなぐ。
現代の情報システムでは効率よくコンピュータを利用するクライアントサーバシステムを構成している場合が多い。

② Wi-Fi

Wi-Fi…規格に従って実際に接続性を保証する業界団体の名前。今では無線 LAN の別名にもなっている。

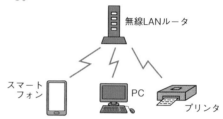

無線LANルータ
スマートフォン
PC
プリンタ

③ TCP/IP の役割

TCP…データ伝送の信頼性を向上。パケットのヘッダによってデータの送り先が定められる。
IP…インターネットに接続する機器に個別に割り当てられた IP アドレスを用いてルーティング（経路選択）を行う。

④ プライベート IP アドレス

世界中のコンピュータに個別のアドレスを割り当てると数が足りなくなるため、LAN 内ではプライベート IP アドレスが使われる。

解答・解説は別冊 p.10

ネットワークと通信

❶ 限られた範囲でコンピュータを接続したネットワークを何というか。 〔　　　　　〕

❷ ❶同士を広い範囲で結んだネットワークを何というか。 〔　　　　　〕

❸ サービスを要求するクライアントとそれに応じてサービスを提供するサーバからなるシステムを何というか。 〔　　　　　〕

❹ 無線 LAN の規格に従って接続性が保障されているものを何というか。 〔　　　　　〕

❺ パケットを別のネットワークに送る際にネットワーク同士を接続する装置のことを何というか。 〔　　　　　〕

通信方式

❻ 電話など回線を利用している者以外が割り込めない通信方式を何というか。 〔　　　　　〕

❼ データをパケットに分割し，同じ回線に混在させて流すことのできる通信方式を何というか。 〔　　　　　〕

❽ パケットにある，荷物の送り状のような役割を果たす部分を何というか。 〔　　　　　〕

情報通信

❾ 情報伝達における約束事のことを何というか。 〔　　　　　〕

❿ インターネットに接続する機器に個別に割り当てられたアドレスを用いるのは TCP と IP のどちらか。 〔　　　　　〕

⓫ インターネット上には同じものがない IP アドレスを何というか。 〔　　　　　〕

⓬ ⓫によって世界中のコンピュータに割り当てる個別のアドレスの数が足りなくなるのを防ぐために LAN 内で用いられているものは何か。 〔　　　　　〕

⓭ ❺が最適な経路を選ぶ仕組みを何というか。 〔　　　　　〕

よく出る　1　インターネット

次の文章を読み，あとの問いに答えなさい。

スマートフォンを使って調べ物をしたり，動画配信や SNS を利用したりと，現代を生きるわたしたちはインターネットとともに生活している。

インターネットとは世界中のネットワークが相互につながり，形成されたネットワークのことである。そのうち，学校や地域などの限られた範囲でコンピュータを接続したネットワークをアルファベット三文字で　ア　という。また，　ア　どうしを広い範囲で結んだネットワークのことを，同様にアルファベット三文字で　イ　という。　ア　から　イ　に接続するには，　ウ　との契約が必要である。

わたしたちはインターネットを使って情報伝達を行っており，①情報伝達を行うための約束事に沿ってやりとりをしている。インターネットを用いた情報伝達には通信が不可欠であり，②通信方式によってやりとりの仕方が異なる。

(1) 空欄ア〜ウに当てはまる語を書きなさい。

　　　　　　ア〔　　　　　　　　　〕　イ〔　　　　　　　　　〕　ウ〔　　　　　　　　　〕

(2) 文中の下線部①を何というか，カタカナで答えなさい。

　　　　　　　　　　　　　　　　　　　　　　　　　　　　　　　　　〔　　　　　　　　　〕

(3) 文中の下線部②について，回線交換方式の特徴として適切なものは次のうちどれか。ア〜エから1つ選び，記号で答えなさい。

　ア　データを小さな単位に分割して流している

　イ　データに送り状の役割を果たす部分がある

　ウ　3 人以上でも同時に使うことができる

　エ　2 人で使っている場合，他の人が割り込めない

　　　　　　　　　　　　　　　　　　　　　　　　　　　　　　　　　〔　　　　　　　　　〕

よく出る　2　情報通信

次の文章は，じゅんさんとみきさんの会話です。文章を読み，あとの問いに答えなさい。

じゅんさん：みきさんって，スマートフォンを持っているよね？

みきさん　：うん。持っているけど，どうして？

じゅんさん：僕もこの前買ってもらったんだけど，外出先で調べ物をしようとすると家の中で使っているときより時間がかかるんだ。この理由がわからなくて……。

みきさん　：もしかして家の中では　ア　をつないでいる？

じゅんさん：確かお母さんに言われて，買ってもらった日につないだよ。

みきさん　：　ア　は無線 LAN の一つだけど，規格に従って接続性が保証されているから，家の中の方がインターネットにつながりやすいんじゃないかな。

じゅんさん：なるほど，そういうことだったのか。あと，スマートフォンを買ったお店で　イ　についての話をされたんだけど，これって何のことかわかる？

みきさん　：　イ　はインターネットに接続する機器に個別に割り当てられたものだよ。この前情報の先生が言っていたじゃない！

じゅんさん：……あっ，思い出した！　確かインターネット上には同じ　イ　が存在しないって言ってたよね。このことを　ウ　というんだっけ。

みきさん　：正解！　また，①個別のアドレスが足りなくならないようにLAN内では　ウ　とは違うアドレスが使われているんだよ。

じゅんさん：そうなんだ。②インターネットに接続する機器は割り当てられた個別のアドレスを使って情報伝達が行われているんだね。

(1)　空欄**ア〜ウ**に当てはまる語を書きなさい。

ア〔　　　　　　　　　〕

イ〔　　　　　　　　　〕

ウ〔　　　　　　　　　〕

(2)　文中の下線部①について，個別のアドレスを割り当てても数が足りなくならないようにLAN内で使われているアドレスを何というか。

〔　　　　　　　　　〕

(3)　文中の下線部②について，割り当てられた個別のアドレスを用いてルータが最適な経路を選ぶ仕組みを何というか。

〔　　　　　　　　　〕

3　通信方式

次の**ア〜オ**のうちパケット交換方式の特徴として正しいものを**すべて**選びなさい。

ア　データをそのまま回線に流す。

イ　データを小さく分けて回線に流す。

ウ　3人以上でも同時に回線を使うことができる。

エ　電話などに使われる。

オ　限られた範囲でコンピュータを接続する。

〔　　　　　　　　　〕

2 | Webページ①

1 Webページの仕組み

1 ❶サーバ

- **Webブラウザ**…Webページを閲覧する際に使用するソフトウェア。
- **サーバ**…「提供者」という意味の言葉。ネットワークに繋がっている他のコンピュータに対して様々な機能やサービスなどを提供するコンピュータ。
- **❷Webサーバ**…サーバのうち，サービスとしてWebサイトを提供するもの。

2 クライアント

- **クライアント**…「依頼者」という意味の言葉。提供者であるサーバからサービスの提供を受ける側のコンピュータのこと。
- **クライアントサーバシステム**…サーバとクライアントの間でインターネットを介して通信が行われる仕組み。

3 ワールドワイドウェブ

- **ワールドワイドウェブ（WWW）**…Webページを閲覧するサービス。HTTPというプロトコルを使用。
- **ハイパーテキスト**…Webページにリンクを埋め込むことができる。

2 URLの構成

1 ❸URL

- **URL**…Webページがある場所を指定する表記の方法。住所に相当するもの。
- **ドメイン名（完全修飾ドメイン名）**…IPアドレスに対応する名前。組織名・組織の種別などの階層構造があり，URLの「https://www.」のあとに続く一部のこと。
- **DNS（ドメインネームシステム）**…IPアドレスとドメイン名の対応関係を踏まえ，管理する仕組み。
- **❹DNSサーバ**…IPアドレスとドメイン名の変換（＝DNS）の処理を行うサーバ。

❶ **サーバとクライアントの関係**

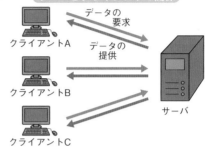

❷ **サーバの種類**

Webサーバの他にも，「メールサーバ」「プロキシサーバ」「DNSサーバ」「認証サーバ」など，様々な種類のサーバが存在する。

❸ **URLの構成**

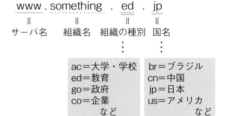

❹ **DNSサーバの働き**

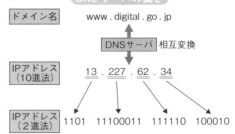

Web ページの仕組み

❶ Web ページを閲覧する際に使用するソフトウェアを何というか。　〔　　　　　〕

❷ ネットワークに繋がっている他のコンピュータに対して，様々なサービスを提供するコンピュータのことを何というか。　〔　　　　　〕

❸ ❷のうち，サービスとして Web サイトを提供するものを何というか。　〔　　　　　〕

❹ ❷からサービスの提供を受ける側のコンピュータを何というか。　〔　　　　　〕

❺ ❷と❹の間で，インターネットを介して通信が行われる仕組みを何というか。　〔　　　　　〕

❻ ❹が❷に対して「データの要求」をしたとき，❷は❹に対してどう応答するか。　〔　　　　　〕

URL の構成

❼ Web ページがある場所を指定する，住所のようなものを何というか。　〔　　　　　〕

❽ IP アドレスに対応し，❸を識別する名前のことを何というか。　〔　　　　　〕

❾ ❽の中に含まれる文字列のうち，「ed」はどのような組織を示すものか。　〔　　　　　〕

❿ ❽の中に含まれる文字列のうち，「ac」はどのような組織を示すものか。　〔　　　　　〕

⓫ ❽の中に含まれる文字列のうち，「us」はどこの国を示すものか。　〔　　　　　〕

⓬ IP アドレスと❽の対応関係を踏まえて管理する仕組みを何というか。　〔　　　　　〕

⓭ ⓬の処理を行うコンピュータのことを何というか。　〔　　　　　〕

1　Web ページの仕組み

次の文章は，ただしさんとゆいさんの会話です。文章を読み，あとの問いに答えなさい。

ただしさん：最近，授業でもそれ以外の時間でも，インターネットで調べ物をする機会が増えたよね。

ゆいさん　：そうだね。スマートフォンやタブレットを使えば，検索エンジンに調べたいキーワードを入れるだけで簡単に調べられるから便利だよ。

ただしさん：でも確か，僕たちが簡単に検索できるのも，その裏に複雑な仕組みがあるおかげなんだよね。

ゆいさん　：授業で習った専門用語を使うと「　ア　に　イ　を入力して見たい Web ページを指定している」ってことになるのかな。

ただしさん：そうそう。検索結果の内容を詳しく見たいときには Web ページの名前をクリックするだけだけれど，画面をよく見ると上の方の欄に　イ　が書かれていたりもするよね。

ゆいさん　：そうだね。　イ　は英文字や記号の羅列になっていて，「https://www.」みたいな形から始まっているものをよく見かけるよね。

ただしさん：確かにそうだね。意外と日常生活の中でも見かける機会が多いかも。ところでゆいさん，同じ回の授業で習った「サーバ」と「クライアント」の関係ってわかる？　僕はまだ理解できていなくて。

ゆいさん　：もちろん。「サーバ」は　A　なのに対して，「クライアント」は　B　だよ。

ただしさん：なるほど，ありがとう。ということは，①クライアントとサーバは組み合わさって機能しているということだよね。

ゆいさん　：その通り。それから，サーバの中にもいくつか種類があるんだよ。最初に話していたみたいな Web ページを閲覧するときには，　ウ　を利用しているということも覚えておくと役に立つかもね。

ただしさん：確かにそうだね。普段はあまり仕組みまで意識せずにインターネットを使っているけれど，日常的な操作の中にも，実は細かな仕組みが働いているんだってことが改めてよくわかったよ。

ゆいさん　：インターネットの仕組みを生み出してくれた人に感謝しなくちゃだね。さて，今日の調べ学習の課題をやらなくちゃ。欲しい情報が載っていそうな Web ページを探し始めようかな。

(1)　空欄ア〜ウに当てはまる語を書きなさい。

　　　　　　　　ア〔　　　　　　　　〕　イ〔　　　　　　　　〕　ウ〔　　　　　　　　〕

(2)　空欄 A，B に当てはまるように，「サーバ」「クライアント」を説明しなさい。

　　A〔

　　B〔

(3) 文中の下線部①について，このような仕組みを何というか。

〔   〕

よく出る **2** URL の構成

次の文章を読み，あとの問いに答えなさい。

私たちがインターネットで Web サイトを閲覧する際，多くの場合，そのページの上部には ア と呼ばれる英字や記号文字が羅列された文字列が並んでいる。これは Web ページが存在している場所を表すための住所に相当するものであり，この文字列をブラウザに入力することで，目的としている Web サイトへとアクセスすることができる。

ア の文字列は，細かく分けると 3 つの部分から成る。1 つ目は URL が表す情報へアクセスする手段を指定するスキーム名，2 つ目は「www.」から始まる形が有名な イ，3 つ目はファイルの場所を示す ウ であり，これら 3 つの部分が組み合わさることで始めて 1 つの ア が成立する。

真ん中の部分にあたる イ は，Web サーバの IP アドレスと対応関係にある文字列であり，①相互に変換をすることが可能である。

(1) 空欄**ア～ウ**に当てはまる語を書きなさい。

ア〔   〕 イ〔   〕 ウ〔   〕

(2) 文中の下線部①について，この変換や相互の対応付けを管理する仕組みのことを何というか。

〔   〕

3 ドメイン名

ドメイン名のうち，以下に示す文字列はどういった組織種別・国名を示すか答えなさい。

ア jp 〔   〕

イ go 〔   〕

ウ co 〔   〕

エ br 〔   〕

オ ac 〔   〕

カ cn 〔   〕

3 | Webページ②

1 Webページをつくる言語

1 ❶ HTML

- **HTML**…「Hyper Text Markup Language」の略。Webページの構造や要素を指定するための記述言語。
- ❷**タグ**…HTMLで，文字や画像などの要素を指定するために使用する文字列。それぞれのタグは <> で囲まれており，文字列を挟み込むように開始・終了タグを書いて使用する。

2 ❸ CSS

- **CSS（カスケーディングスタイルシート）**…「Cascading Style Sheets」の略。Webページの色や画像の大きさ，配置などの視覚的なデザインを定義するための記述言語。

2 ネットワークの通信速度

1 通信速度

- ❹**bps**…「bits per second」の略。情報通信の速度を「1秒間に何ビットのデータを転送できるか」という尺度で示すための単位。10^3＝1000の数量ごとにMやGといった接頭辞が変化する。
  1000 bps＝1 kbps，1000 kbps＝1 Mbpsとなる。
- **伝送効率**…データの送信時間を計算する際に，利用者の数やノイズなどを加味した上でどのくらいの速度になるかを示した値。

$$データの送信時間_{[秒]}＝データ量_{[bit]}÷\left(通信速度_{[bps]}×\frac{伝送効率}{100}\right)$$

- **効率的な通信**…ファイルを入手することをダウンロード，ファイルを送信することをアップロードという。大容量のデータ通信ではファイルを圧縮（ZIP形式など）するとよい。

❶ **WebページとHTMLの関係**

【画面】

> キーワードを入力してください。
> キーワード：[＿＿＿＿] 検索

【HTML】

```
<form id = "keywordform" action = "test">
<h1>キーワードを入力してください。</h1>
<label for = "keyword">キーワード</label>
<input type = "text" id = "keyword"/>
<input type = "submit" id = "kensaku" value = "検索"/>
</form>
```

❷ **HTMLタグの例**

タグ	概要
<h1>～<h6>	文書の見出しを作成する，数字が大きくなるほど小さい見出しになる。
<link>	文書のリンクを指定する
<body>	文書の本文を指定する
<img>	表示する画像を指定する
<table>	表示する表を指定する

❸ **CSSの例**

CSS	概要
background-color	背景色を指定する
font-size	文字の大きさを指定する
text-decoration-line	テキストに傍線をつける

❹ **bpsの接頭辞の変化**

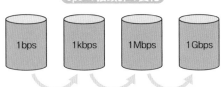

1bps　1000倍　1kbps　1000倍　1Mbps　1000倍　1Gbps

Web ページをつくる言語

❶ Web ページの構造や文書などの要素を指定するための記述言語を何というか。 〔　　　　　　　〕

❷ ❶で記述するときに，要素を指定するために使用する <> で囲まれた文字列を何というか。 〔　　　　　　　〕

❸ ❷のうち，<img>〜</img> は何を指定するものか。 〔　　　　　　　〕

❹ ❷のうち，<body>〜</body> は何を指定するものか。 〔　　　　　　　〕

❺ ❶とは異なり，Web ページの中でも色や文字の大きさといった視覚的なデザインを定義するための記述言語を何というか。 〔　　　　　　　〕

❻ ❺の正式名称は，カタカナで何というか。 〔　　　　　　　〕

❼ ❺のうち，「font-size」と書いた場合には何を指定することになるか。 〔　　　　　　　〕

ネットワークの通信速度

❽ 「1 秒間に何ビットのデータを転送できるか」を示すための単位を何というか。 〔　　　　　　　〕

❾ ❽の正式名称を何というか。 〔　　　　　　　〕

❿ ❽の単位につく接頭辞は，値が何倍になるごとに変化するか。 〔　　　　　　　〕

⓫ データの送信時間を計算する際に，ノイズなどの要素を加味したうえでどのくらいの速度になるかを示した値のことを何というか。 〔　　　　　　　〕

⓬ 1 秒間に 1000 ビットのデータを転送できる場合，❽の単位を用いると何と表せるか。 〔　　　　　　　〕

よく出る **1** Webページをつくる言語

次の文章は，ゆいさんとただしさんの会話です。文章を読み，あとの問いに答えなさい。

ゆいさん　　：インターネットで天気予報のWebページを見ていたら，間違えて変なところを押してしまったみたい。見慣れない文字列が画面に出てきちゃった。

ただしさん：どれどれ，見せて。ああ，これは多分　 ア 　じゃないかな。Webページの中の要素を指定している言語の1つだよ。

ゆいさん　　：なるほど！　「くもり」とか「降水量」のように，ところどころに見たことのある言葉が並んでいるのは，この文字列がさっきの天気予報のページを指定しているということかな。

ただしさん：そうだね。そのほかにも <link> の後に書かれている　 イ 　は気象庁のページにアクセスするためのものだったり，<img> の後に書かれているファイルの名前は日本地図の　 ウ 　のファイル名だったりするんだ。あのWebページに載っている内容に関する情報がまとめて指示されていることがわかるね。

ゆいさん　　：そういうことなんだね。あ，でも①<link> や <img> のような，<> に囲まれた短い文字列以外にも，要素の指示に使われている言葉があるみたい。これは　 エ 　っていう記述言語なのかな。

ただしさん：そうそう。　 エ 　は　 オ 　という名前で，Webページの中でも特に色や文字の大きさ，画像の位置など，視覚情報に関する部分を指示するために用いられているんだよ。

ゆいさん　　：ただしさんはこういった言語に詳しいんだね。じゃあこの，「text-decoration-line」と「background-color」っていう指示はどういう意味かわかる？

ただしさん：もちろん。「text-decoration-line」は　 A 　という意味の指示で，「background-color」は　 B 　という意味の指示だね。その後に書かれている部分の内容に，その指示が適応されているはずだよ。Webページと比べて見てごらん。

ゆいさん　　：本当だ，すごいね。文字列だけを見ていると全く意味がわからなかったけれど，説明を受けてから見直してみるとだんだん意味がわかってきたよ。

ただしさん：それは良かった。普段見ているさまざまなWebページのそれぞれの部分が，こういった記述言語で書かれていると考えるとすごいよね。

(1) 空欄**ア**〜**オ**に当てはまる語を書きなさい。

ア〔　　　　　　　　　〕　イ〔　　　　　　　　　〕　ウ〔　　　　　　　　　〕

エ〔　　　　　　　　　〕　オ〔　　　　　　　　　〕

(2) 下線部①について，こういった文字列のことを何というか。

〔　　　　　　　　　〕

(3) 空欄**A**，**B**に当てはまる説明を簡潔に答えなさい。

A〔　　　　　　　　　〕　B〔　　　　　　　　　〕

2 Webページをつくる言語の書き方

以下に示す文字列が「HTML」「CSS」のうち，どちらの言語のものであるかを答えなさい。また，その文字列はどういった内容を指示するのかを簡潔に答えなさい。

ア <body>～</body>　　　　　〔　　　　　〕〔　　　　　　　　　　　　　　〕

イ font-size　　　　　　　　　〔　　　　　〕〔　　　　　　　　　　　　　　〕

ウ <table>～</table>　　　　〔　　　　　〕〔　　　　　　　　　　　　　　〕

エ background-color　　　　　〔　　　　　〕〔　　　　　　　　　　　　　　〕

オ <link>～</link>　　　　　〔　　　　　〕〔　　　　　　　　　　　　　　〕

カ <img>～</img>　　　　　〔　　　　　〕〔　　　　　　　　　　　　　　〕

3 ネットワークの通信速度

次の文章を読み，あとの問いに答えなさい。

ネットワークの通信速度は，一般的に①「1秒間に何 ［ **ア** ］ のデータを送ることができるか」という基準にしたがって示される。通信やデータに関する単位でも，記憶容量ではバイトを主に用いるのに対し，通信速度では ［ **ア** ］ を使用するという違いがある。また，これらの単位は接頭辞を切り替えるタイミングにも違いがある。バイトは1024倍ごとに接頭辞が「K(キロ)→M(メガ)→G(ギガ)」と変化するのに対し，［ **ア** ］ は ［ **イ** ］ 倍ごとに接頭辞が変化するため，注意が必要である。

また，通信の速度がわかっている場合は，それを活用して②データの送信にかかる時間を計算することも可能である。データの送信にかかる時間は「データ量÷(通信速度× ［ **ウ** ］ ÷100)」の式で求めることができる。なおこの式中に出てくる ［ **ウ** ］ とは，その通信の利用者の数やノイズを考慮すると実際はどのくらいの速度でデータのやり取りが可能なのかを，通信速度に対する割合〔%〕で示した値のことである。

⑴　空欄**ア**～**ウ**に当てはまる語や数字を書きなさい。

　　　　　　　　　ア〔　　　　　　　〕**イ**〔　　　　　　　　　〕**ウ**〔　　　　　　　〕

⑵　文中の下線部①について，この基準を示す単位を何というか。

　　　　　　　　　　　　　　　　　　　　　　　　　　　〔　　　　　　　　　　　　　　〕

⑶　文中の下線部②について，データの転送時間の計算をする際に気をつけることを簡潔に書きなさい。

　　〔　　　　　　　　　　　　　　　　　　　　　　　　　　　　　　　　　　　　　　〕

4 | 情報セキュリティ

1 サイバー犯罪と情報セキュリティ

1 ❶サイバー犯罪

- **不正アクセス**…アクセス権限のない者が，他人のユーザ ID とパスワードを使って不正に情報システムにアクセスする行為。**不正アクセス禁止法**で禁止されている。

2 情報セキュリティの 3 要素

- **❷機密性**…アクセス権限をもつ人だけが情報にアクセスできる。
- **完全性**…情報の改ざんや破壊が行われない。
- **可用性**…情報を使いたいときにいつでもアクセスできる。
- **情報セキュリティポリシー**…企業などがセキュリティ対策の方針をまとめたもの。

2 情報セキュリティ対策

1 ❸暗号化

- **暗号化**…特定の相手のみが解読できる形の情報（暗号文）に変換すること。
- **復号**…暗号文を平文（もとの文）に戻すこと。

2 ファイアウォール

- 外部からの不正アクセスが LAN に侵入することを防ぐ仕組み。

3 マルウェアとウイルス対策

- **❹マルウェア**…コンピュータに侵入し，悪意ある行動をとるソフトウェアの総称。
- **スパイウェア**…マルウェアの一種。コンピュータに入り込み，情報を流出させる。
- **ランサムウェア**…マルウェアの一種。コンピュータをロックし，身代金等を要求する。
- **ウイルス対策ソフトウェア**…マルウェアの感染や侵入の防止，コンピュータウイルスの駆除を行うソフトウェア。
- **ソーシャルエンジニアリング**…他人のユーザ ID やパスワードを盗み見るなど，人為的に個人情報を入手して，コンピュータを不正に利用する行為。

---

❶ サイバー犯罪の種類

- ・フィッシング詐欺…カード会社や金融機関を偽り，カード情報などを入力させる詐欺。
- ・ワンクリック詐欺…URL をクリックすると，不当な請求を要求される詐欺。

❷ 機密性の担保

- ・認証…本人かどうかを確認すること。近年は安全性を高めるため，二段階認証や多要素認証も拡大している。

知識認証	所持認証	生体認証
暗証番号，パスワード，秘密の質問，ユーザ ID	スマートフォン，身分証明書など	指紋，顔，静脈，筆跡など

❸ 代表的な暗号方式

- ・共通鍵暗号方式…暗号化と復号で同じ鍵（共通鍵）を使う方式。共通鍵が第三者に知られると解読されてしまうが，処理速度は速い。

①暗号化し，送信。
②暗号化と同じ鍵で復号

送信者　　　　受信者

- ・公開鍵暗号方式…暗号化と復号で異なる鍵を使う方式。不特定多数を相手とする通信に使えるが，処理に時間がかかる。

②暗号文の送信

③受信者のみがもつ秘密鍵で復号する。

送信者　　　　受信者

①公開鍵を送る

❹ マルウェアの分類

コンピュータウイルス	トロイの木馬	ワーム
コンピュータに寄生・感染する。	無害なツールを装ってコンピュータに侵入する。	単独のプログラムであり，コピーを通じて増殖する。

サイバー犯罪と情報セキュリティ

❶ アクセス権限のない者が，他人のユーザ ID とパスワードを使って不正に情報システムにアクセスする行為を禁止した法律を何というか。 〔　　　　　　　〕

❷ 「アクセス権限を持つ人だけが情報にアクセスできる」という情報セキュリティの要素を何というか。 〔　　　　　　　〕

❸ 「情報の改ざんや破壊が行われない」という情報セキュリティの要素を何というか。 〔　　　　　　　〕

❹ 「情報にいつでもアクセスできる」という情報セキュリティの要素を何というか。 〔　　　　　　　〕

情報セキュリティ対策

❺ 特定の相手のみが解読できる形の情報に変換することを何というか。 〔　　　　　　　〕

❻ ❺によって変換された情報をもとの文に戻すことを何というか。 〔　　　　　　　〕

❼ ❺と❻で同じ鍵を使う方式を何というか。 〔　　　　　　　〕

❽ ❺と❻で異なる鍵を使う方式を何というか。 〔　　　　　　　〕

❾ 外部からの不正アクセスが LAN に侵入することを防ぐ仕組みを何というか。 〔　　　　　　　〕

マルウェアとウイルス対策

❿ コンピュータに侵入し，悪意ある行動をとるソフトウェアの総称を何というか。 〔　　　　　　　〕

⓫ ❿の一種で，コンピュータに入り込み，情報を流出させるものを何というか。 〔　　　　　　　〕

⓬ ❿の一種で，コンピュータをロックし，身代金等を要求するものを何というか。 〔　　　　　　　〕

⓭ ❿の感染や侵入の防止，コンピュータウイルスの駆除を行うソフトウェアを何というか。 〔　　　　　　　〕

⓮ 既存のウイルスを定義したファイルを何というか。 〔　　　　　　　〕

よく出る **1** サイバー犯罪と情報セキュリティ

次の文章を読み，あとの問いに答えなさい。

ネットワークは不特定多数の人が利用するため，それを悪用するサイバー犯罪が後を絶たない。実在する金融機関を偽り，偽サイトへ誘導してカード情報を入力させる ［ ア ］ や，URL をクリックすると不正な請求を要求される ［ イ ］ などの犯罪行為がその一例である。特に，アクセス権限のないものが他人のユーザ ID とパスワードを使って不正にインターネットにアクセスする ［ ウ ］ は，①法律で禁止された犯罪行為である。また，他人の ID とパスワードを盗み見ることも同法で禁止されている。

このようなサイバー犯罪を防止し，②情報セキュリティを確保するためには，様々な対策が不可欠となる。わたしたちの生活に身近な例では，③スマートフォンには利用者をパスワードなどで確認する認証技術が搭載されている。近年では安全性を高めるために，パスワードだけではなく電話番号にメッセージを送信し，番号を追加入力する方法も普及している。

(1) 空欄ア～ウに当てはまる語を書きなさい。

ア〔　　　　　　　　〕 イ〔　　　　　　　　〕 ウ〔　　　　　　　　〕

(2) 文中の下線部①について，このような法律を何というか。 〔　　　　　　　　〕

(3) 文中の下線部②について，情報セキュリティの3要素をそれぞれ説明しなさい。

機密性〔　　　　　　　　　　　　　　　　　　　　　　　　　　　　　　　〕

完全性〔　　　　　　　　　　　　　　　　　　　　　　　　　　　　　　　〕

可用性〔　　　　　　　　　　　　　　　　　　　　　　　　　　　　　　　〕

(4) 文中の下線部③について，次のア～ウは認証の具体例です。当てはまる認証方式を答えなさい。

ア〔　　　　　　　　〕

イ〔　　　　　　　　〕

ウ〔　　　　　　　　〕

2 情報セキュリティ対策

次の文章は，はやとさんとみくさんの会話です。文章を読み，あとの問いに答えなさい。

はやとさん：昨日の授業で，情報社会はわたしたちの暮らしを便利にした一方で，インターネットを悪用した様々な事件が発生していると先生が言っていたんだ。そうした事件やトラブルを防ぐためには，どんな方法があるのかな。

みくさん　：例えば，外部からの不正アクセスが LAN に侵入することを防ぐ ［ ア ］ というソフトウェアがあるそうよ。

はやとさん：そんな仕組みがあるんだね！　コンピュータに侵入して，被害をもたらす悪質なソフトウェアは ［ イ ］ と言うんだったよね。

みくさん ：そうだね。①　イ　にはいろいろな種類があって，その種類もどんどん増えていって
　　　　　　いると授業で習ったよ。ウイルスの感染や侵入を防ぎ，駆除を行っている　ウ　がコ
　　　　　　ンピュータには搭載されているけど，既存のウイルスを定義している　エ　を常に更
　　　　　　新する必要があるんだね。

はやとさん：なるほど。以前テレビでは②コンピュータに侵入して情報を流出させるソフトウェアの
　　　　　　被害を報道していたよ。ほかにも，他人がパスワードを入力しているところを盗み見て，
　　　　　　コンピュータに不正に侵入する　オ　などにも注意が必要なんだって。

みくさん ：自分の個人情報を気づかないうちに盗まれていたらと想像すると，とても怖いね。

はやとさん：自分や周りの人の情報を守るためにも，これからも情報セキュリティ対策について理解
　　　　　　を深めていきたいね。

(1) 空欄ア～オに当てはまる語を書きなさい。

ア〔　　　　　　　〕　イ〔　　　　　　　　〕　ウ〔　　　　　　　　〕

エ〔　　　　　　　〕　オ〔　　　　　　　　〕

(2) 文中の下線部①について，無害なツールを装ってコンピュータに潜り込む種類の　イ　を何とい
　うか。
　　　　　　　　　　　　　　　　　　　　　　　　　　　　　　　　　〔　　　　　　　　　　〕

(3) 文中の下線部②について，このようなソフトウェアを何というか。

　　　　　　　　　　　　　　　　　　　　　　　　　　　　　　〔　　　　　　　　　　〕

3　暗号化

(1) 暗号化について正しく説明しているものを，以下のア～エから１つ選びなさい。

　ア　アルゴリズムがコンピュータで処理できるように記述すること。

　イ　無害なツールを装って，コンピュータに侵入すること。

　ウ　特定の相手以外はわからない形に情報を変換すること。

　エ　情報をまとまりごとに整理すること。　　　　　　　　　　　　〔　　　　〕

(2) 次の公開鍵暗号方式を説明している図のア～エにあてはまる言葉を，それぞれA～Dの選択肢か
　ら選びなさい。また，公開鍵暗号方式のメリットとデメリットについて記述しなさい。

A	平文
B	秘密鍵
C	公開鍵
D	暗号文

ア〔　　　　〕
イ〔　　　　〕
ウ〔　　　　〕
エ〔　　　　〕

メリットと
デメリット　〔　　　　　　　　　　　　　　　　　　　　　　　　　〕

定期テスト対策問題④

解答・解説は別冊 p.12

得点

/100

1 次の文章を読み，あとの問いに答えなさい。 (各5点, 計20点)

　私たちは①世界中に張り巡らされたネットワークを利用し，日々多くの情報を得ている。これらの情報は②いくつかの通信方式を利用してデータとして私たちの元に届く。ネットワークを利用する際には，③装置が最適で最も速い経路を選択することで私たちは即座に情報を入手できるようになった。

(1) 下線部①について，限られた範囲でネットワークをコンピュータで接続し，さらにネットワーク同士を広い範囲で結んだネットワークのことをアルファベットで何というか。

(2) 下線部②について，データを小さく分割し同じ回線に混在させて流すことのできる通信方式を何というか。

(3) 下線部③について，この仕組みのことを何というか。また，この仕組みをもつ装置のことを何というか。

(1)		(2)	
(3)	仕組み		装置

2 次の文章を読み，あとの問いに答えなさい。 (各5点, 計20点)

　私たちがインターネットを使って情報を得る際，ほとんどの場合 Web ページを検索する。そこには①ネットワークにつながっている他のコンピュータに対してサービスを提供するものと，それから②サービスを受けるものがある。また，③Web ページにはそれがある場所を指定する住所のようなものがあり，これによって特定の Web ページを探すことができる。

(1) 下線部①について，このコンピュータのことを何というか。

(2) 下線部②について，このコンピュータのことを何というか。

(3) 下線部③について，これを何というか。

(4) ドメイン名に含まれる文字列のうち，「jp」はどこの国を示すものか。

(1)		(2)	
(3)		(4)	

3 次の文章を読み，あとの問いに答えなさい。　　　　　　　　　　　　　　（各5点，計20点）

　①Webページにはそれを作るための特殊な記述言語が存在する。この言語を用いてWebページを構成するには②〈 〉で囲まれた文字列で要素を指定することができる。

(1) 下線部①について，このことを何というか。

(2) (1)とは異なり，Webページの中でも色や文字の大きさといった視覚的なデザインを定義するための記述言語を何というか。

(3) 下線部②について，この文字列のうち画像を指定するものを答えなさい。

(4) 「1秒間に何ビットのデータを転送できるか」を示すための単位を正式名称で何というか。

(1)		(2)	
(3)		(4)	

4 次の文章を読み，あとの問いに答えなさい。　　　　　　　　　　　　　　（各8点，計40点）

　近年，Webサイトやインターネットの手軽さを利用した①不正アクセス等の悪質な行為や犯罪が増加している。これらの対策として特定の相手のみが解読できる形の情報に変換するといった方法があり，これを□□□化という。□□□には，②共通鍵□□□方式や③公開鍵□□□方式などがある。

　人が外部から行う行為の他にも，④ウィルスやソフトウェアを利用したサイバー犯罪もあるため様々な対策をする必要がある。

(1) 「アクセス権限を持つ人だけが情報にアクセスできる」要素を何というか。

(2) 下線部①について，外部からの不正アクセスがLAN内に侵入するのを防ぐ仕組みを何というか。

(3) □□□には同じ語があてはまる。あてはまる語を書きなさい。

(4) 下線部②と下線部③の方式を比較したとき，下線部②の方式の特徴として正しいものを次のア～エの中から1つ選びなさい。

　ア　第三者に知られるリスクがあり，処理に時間がかかる。

　イ　第三者に知られるリスクがあるが，処理速度がはやい。

　ウ　安全性が高いが，処理に時間がかかる。

　エ　安全性が高く，処理速度がはやい。

(5) 下線部④について，これらの一種でコンピュータをロックし，身代金等を要求するものを何というか。

(1)		(2)	
(3)		(4)	
(5)			

1 次の文は，じゅんさんがかいさんの家に遊びに来たときの会話である。この会話を読み，あとの問いに答えなさい。

じゅんさん　パソコン以外にもたくさんのハードウェアがあるね。

かいさん　　うん。父が仕事で使っているんだけど，家族も使っているんだ。家族そろって①<u>インターネット</u>で映画を観ることもあるんだ。ぼくの部屋にあるパソコンからも，居間にあるプリンターから出力することができるようにネットワークができているんだ。そうだ，ぼくの部屋で②<u>オンラインゲーム</u>で対戦しようよ。

じゅんさん　よしやろう。ぼくのスマホだと，ここでは Wi-Fi が使えないなあ。あれ，フリー Wi-Fi があるよ。

かいさん　　本当だ。③<u>見慣れないものだから，これは使わないほうがいいよ。</u>ぼくのタブレットがあるから，これを使って。これで弟ともよく対戦するんだ。今日はこれを使っていいよ。

じゅんさん　ありがとう。でも④<u>情報セキュリティ</u>の観点から，いいのかな。個人情報がもれることもあるときいたよ。

かいさん　　たしかにそうだね。

じゅんさん　ぼくが家にいるときに対戦しよう。

問題

(1)　文中の下線部①について，図1はインターネットの年齢別の個人の利用状況を調べたものである。図1からわかることとして正しいものを，あとの**ア～ウ**の中から選びなさい。

図1

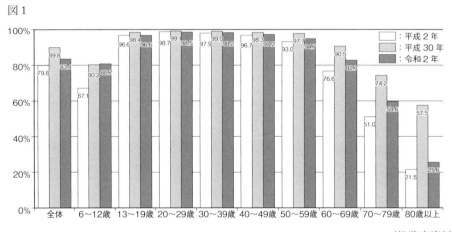

（総務省資料より）

ア　どの世代も年々インターネットの利用者の割合が増えている。

イ　平成30年と比べて令和2年の利用者の割合の増加がいちばん大きい世代は，80歳以上である。

ウ　13歳～59歳の世代では，平成2年の利用者の割合は9割以上である。

〔　　　　〕

(2) 通信方式には，回線交換方式とパケット交換方式がある。インターネットでの通信はパケット交換方式で行われているが，文中の下線部②のオンラインゲームを対戦するにあたり，回線交換方式だった場合はどうなるか。回線交換方式についての説明を含めて書きなさい。

(3) 文中の下線部③について，Wi-Fi のネットワークを確認したとき図 2 のような画面であった。じゅんさんがかいさんに使わないほうがよいと言われたのは「MyFree_WiFi」のことである。なぜ使わないほうがよいのか書きなさい。

図 2

Wi－Fiネットワーク一覧
cillmo34
Data-2.4GH$_2$
Hi-e
TTob 20328
Bb25CO
MyFree_WiFi
5687402_5G

(4) 下線部④について，情報セキュリティの 3 要素として，機密性，完全性，可用性が挙げられる。それぞれどのような特徴があるかを書きなさい。

機密性

完全性

可用性

1 ｜ 問題解決

1 問題解決

1 問題解決

- **問題**…理想と現実とのギャップ（ずれ）。
- **問題解決**…問題に対する解決策を検討・実行し，振り返るというプロセス（手順）。

2 ❶問題解決のプロセス

①問題の明確化
②情報の収集
③解決案の検討
④解決案の実行
⑤振り返り・評価

3 ❷PDCA サイクル

- **PDCA サイクル**…問題解決の一般的な方法。
P(Plan)→D(Do)→C(Check)→A(Act) という流れを何度も繰り返し，理想と現実のギャップを埋めていく。

2 問題解決の手法

1 発想法

- **❸ブレーンストーミング**…グループで自由にテーマについて発言し，できるだけ多くのアイデアを集める手法。
- **❹KJ 法**…ブレーンストーミングで出た複数のアイデアをまとめて，整理する手法。
- **❺マインドマップ**…中心にテーマを描き，イメージを膨らませながらアイデアを整理していく手法。様々な色を使い，アイデアやイラストを枝のように繋いでいく。

2 整理の方法

- **MECE（ミーシー）**…アイデアの漏れや重複をなくすために，物事を論理的に整理する考え方。ロジックツリーという手法を用いて，アイデアを重要度順に整理することもある。

---

❶ **問題解決のプロセス**

①問題の明確化…現状を確認し，解決すべき問題と，問題解決のゴールを明らかにする。
②情報の収集…図書館やインターネットを利用し，信頼できる，幅広い情報を収集する。
③解決案の検討…収集した幅広い情報をもとに，複数の解決案を比較し，問題解決に適切な解決案を検討する。
④解決案の実行…解決案を実行する。
⑤振り返り・評価…実行した解決案と結果を反省し，今後の解決案の立案に生かす。

❷ **PDCA サイクル**

（例）テストで100点をとるために計画する。

Plan：毎日3時間勉強する。
Do：計画通りに勉強する。
Check：テスト結果を振り返る。
Act：次のテストに向けた対策を考える。

❸ **ブレーンストーミングの4つのルール**

批判厳禁	他人の意見を批判しないこと。
自由奔放	決まりを設けず，自由に発想すること。
質より量	アイデアの質より量を重視すること。
結合改善	他人のアイデアを結合し，アイデアを発展させること。

❹ **KJ 法とマインドマップ**

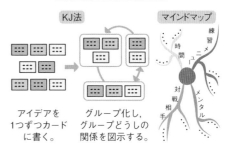

KJ法

アイデアを
1つずつカード
に書く。

グループ化し，
グループどうしの
関係を図示する。

マインドマップ

問題解決のプロセス

❶ 理想と現実とのギャップのことを何というか。 〔 　　　　　　　 〕

❷ ❶に対する解決策を検討・実行し，振り返るというプロセス（手順）を何というか。 〔 　　　　　　　 〕

❸ ❷のプロセスにおいて，現状を確認し，解決すべき問題を明らかにし，目的やゴールを設定することを何というか。 〔 　　　　　　　 〕

❹ ❷のプロセスにおいて，複数の解決案を比較することを何というか。 〔 　　　　　　　 〕

❺ ❷の一般的な方法であり，4つの手順の頭文字をとったものを何というか。 〔 　　　　　　　 〕

問題解決の手法

❻ グループで自由にテーマについて発言し，できるだけ多くのアイデアを集める手法を何というか。 〔 　　　　　　　 〕

❼ ❻で出たアイデアをまとめて，整理する手法を何というか。 〔 　　　　　　　 〕

❽ ❻において，アイデアの質にこだわるよりもできるだけ多くのアイデアを出すというルールを何というか。 〔 　　　　　　　 〕

❾ ❻において，他人のアイデアを結合し，アイデアを発展させるというルールを漢字4字で何というか。 〔 　　　　　　　 〕

❿ ❻において，決まりを設けず，自由に発想するというルールを漢字4字で何というか。 〔 　　　　　　　 〕

⓫ ❻において，他人の意見を批判しないというルールを漢字4字で何というか。 〔 　　　　　　　 〕

⓬ 中心にテーマを描き，イメージを膨らませながらアイデアを整理していく手法を何というか。 〔 　　　　　　　 〕

⓭ アイデアの漏れや重複をなくすために，物事を論理的に整理する考え方を何というか。 〔 　　　　　　　 〕

⓮ ⓭の考え方に基づき，アイデアを重要度順に整理する手法を何というか。 〔 　　　　　　　 〕

解答・解説は別冊 p.13

1 問題解決

さくらさんはバレーボール部に所属しています。彼女のチームは昨年地区大会で一勝もできませんでした。この問題を解決するためにバレーボール部が行った次の**ア〜オ**の行動を，問題解決のプロセスとして，適切な順番になるように並べ替えなさい。

ア　インターネット上で強豪校の練習メニューを調べたり，図書館に行ってバレーボールについて書かれた本を借りたりする。

イ　実際に新しい練習メニューを取り入れて地区大会に向けて練習する。

ウ　「来年の地区大会でベスト 16 に入る」という部の目標を立てる。

エ　「基礎練習の時間をタイマーで測り，日によってメニューを変える」「ミスした本数を記録する」「コートサイドにミニネットを張ってサーブをする」などの練習メニューを立てる。

オ　地区大会では初めて 2 回戦に進めたが，ベスト 16 には入れなかった。ほかの学校は試合直前に練習試合を多くしていたと聞いたので，今後は練習試合を増やす計画を立てた。

〔　　　　　〕 → 〔　　　　　〕 → 〔　　　　　〕 → 〔　　　　　〕 → 〔　　　　　〕

2 情報社会

次の文章は，そうたさんとめぐみさんの会話です。文章を読み，あとの問いに答えなさい。

そうたさん：先週，文化祭の出し物をホームルームの時間で決めることになったんだけど，なかなか意見がまとまらなかったんだ。

めぐみさん：わかるよ。わたしのクラスはみんなの前で発言する人があまりいなかったから，小さいグループごとに分かれて意見をまとめることになったよ。

そうたさん：なるほど。たしか，テーマについて自由に発言することで，できるだけ多くのアイデアを集める方法があったよね。

めぐみさん：　ア　だね。発言しやすい雰囲気を作ることが，　ア　では大切だよ。

そうたさん：他にも，①　ア　の参加者はいくつかのルールを守らないといけないよね。私たちのクラスもこの方法を取り入れて話し合えば，もっと議論が進んだのかな。

めぐみさん：今回の反省を踏まえれば，今後は改善できると思う。理想と現実のギャップを　イ　と呼ぶそうだけど，　イ　が少しでも解決できるといいね。

そうたさん：そうだね。そういえば，　ア　で出たたくさんのアイデアをまとめて，関連するものを整理していく手法は　ウ　と呼ぶそうだよ。この前，情報の授業で先生が教えてくれたんだ。

めぐみさん：そうなんだ。わたしたちのクラスは，　エ　という手法を使って「合唱コンクールで優勝する」というテーマについてアイデアを整理したよ。関連するアイデアを色分けしていったから，どんどんイメージが膨らんだの。

そうたさん：それはいいね。色分けをしておくと，後から見返すときも分かりやすいね。

めぐみさん：でも，後から見ると同じような意見がいくつかあったの。　オ　という考え方に基づいて，②アイデアの漏れや重複をなくすために，枝状にアイデアを整理していくとそうしたミスを防ぐことができるんだって！

そうたさん：なるほど。これからも色々な方法を活用して，　イ　の解決に取り組みたいね。

よく出る (1) 空欄ア〜オに当てはまる語を書きなさい。

ア 〔　　　　　　　〕　イ 〔　　　　　　　〕　ウ 〔　　　　　　　〕

エ 〔　　　　　　　〕　オ 〔　　　　　　　〕

(2) 文中の下線部①について，以下のそうたさんのクラスの会話文を読み，問題解決の手法としてふさわしくない発言者を一人選びなさい。

司会　　　：今日は「給食の準備が時間内に終わらない問題」について話したいと思います。何か意見や，気が付いたことがある人はいますか。

そうたさん：給食当番が準備を始める時間は他のクラスと変わらないよね。

りくさん　：そうだね。でも，わたしは配膳に時間がかかっていると思う。配膳当番も給食当番と同じように決めたらどうかな。

あやさん　：それはどうかな。別に，手が空いている人がやればいいんじゃないの？

はなさん　：いつも同じ人が配膳していたら不公平だから，当番を決めた方がいいと思う。わたしはりくさんに賛成するよ。

〔　　　　　　　〕

(3) 文中の下線部②について，このようにアイデアを重要度順に並べ替え，整理していく手法を何というか。

〔　　　　　　　〕

3 PDCA サイクル

(1) PDCA サイクルについて，以下のア〜エの選択肢について正しいものには○を，誤っているものには×をそれぞれ書きなさい。

ア　問題解決の一般的な手法である。 〔　　　〕

イ　PDCA サイクルの「P」は prepare（準備）を指している。 〔　　　〕

ウ　PDCA サイクルの「C」は check（評価）を指している。 〔　　　〕

エ　PDCA サイクルは，一度だけ実施するものである。 〔　　　〕

(2) PDCA サイクルの手法を用いて，「期末テストの数学で 90 点をとる」という目標達成のために以下の手順を取ることにした。次のア〜エの選択肢を，P → D → C → A の順に並べ替えなさい。

ア　全科目の学習時間のバランスが取れる勉強計画を立てることにした。

イ　数学の点数が 92 点だったが，数学に時間を割いたら国語の点数が 50 点に落ちてしまった。

ウ　中間テストの振り返りをもとに，テスト 2 週間前から一日ごとにやる勉強内容を決めた。

エ　実際に計画に沿って，テスト 2 週間前から勉強を進めた。

P 〔　　　〕 → D 〔　　　〕 → C 〔　　　〕 → A 〔　　　〕

2 | データ分析

1 データの収集と整理

1 ❶データ分析の流れ

- **データの分析**…収集・整理したデータをグラフなどを用いて可視化し，事象や問題点をデータから読み解くこと。

2 データの収集

- **オープンデータ**…営利，非営利目的を問わず誰でも二次利用が可能で，機械判読に適しているデータ。e-Stat やデータカタログサイトなどで閲覧できる。
- **質的データ**…文字情報などのデータ。
- **量的データ**…数値で表されるデータ。

3 データの整理

- **欠損値**…必要なデータが欠けていること。
- **異常値**…記入ミスや測定ミスのこと。
- **外れ値**…他のデータから大きく外れた値。

2 データの分析

1 ❷データの可視化

- **棒グラフ**…項目ごとのデータを棒の高さで表したグラフ。データの内訳を示したものを特に積み上げ棒グラフという。
- **折れ線グラフ**…項目ごとのデータを点で表し，点と点の間を線でつないだグラフ。
- **円グラフ**…全体に対して各項目の占める割合を表したグラフ。
- **レーダーチャート**…項目間のデータのバランスを正多角形上に表したグラフ。
- **箱ひげ図**…データの分布を表した図。

2 ❸散布図

- **散布図**…2つの変数を縦軸・横軸にとり，関係性を表したグラフ。
- **相関**…2つの変数の関連性。有無・正負・強弱で表される。
- **相関係数**…相関の強さを表す数値。−1以上1以下の値をとり，1に近づくほど正の相関が強く，−1に近づくほど負の相関が強い。

❶

データ分析の流れ

❷
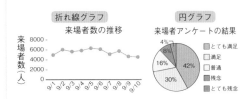
グラフの種類

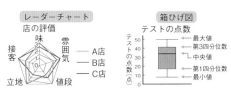

❸
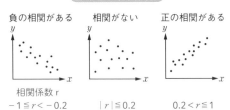
散布図と相関関係

相関係数 r
$-1 \leqq r < -0.2$　$|r| \leqq 0.2$　$0.2 < r \leqq 1$

データの収集と整理

❶ データから事象や問題点を読み解くことをデータの何というか。 〔　　　　　〕

❷ 誰でも二次利用が可能で，機械判読に適しているデータのことを何という
か。 〔　　　　　〕

❸ 文字情報などで表されるデータを何というか。 〔　　　　　〕

❹ 数値で表されるデータを何というか。 〔　　　　　〕

❺ 分析するデータのうち，必要なデータが欠けていることを何というか。 〔　　　　　〕

❻ 記入ミスや測定ミスによる誤った値のことを何というか。 〔　　　　　〕

❼ 誤りではないが，他のデータから大きく外れた値のことを何というか。 〔　　　　　〕

データの分析

❽ 項目ごとのデータを棒の高さで表したグラフを何というか。 〔　　　　　〕

❾ ❽のうち，データの内訳を示したものを何というか。 〔　　　　　〕

❿ 全体に対して各項目の占める割合を表したグラフを何というか。 〔　　　　　〕

⓫ 項目間のデータのバランスを正多角形上に表したグラフを何というか。 〔　　　　　〕

⓬ 項目ごとのデータを点で表し，点と点の間を線でつないだものを何という
か。 〔　　　　　〕

⓭ データの分布を表した図のことを何というか。 〔　　　　　〕

⓮ 2つの変数の関係性を表したグラフを何というか。 〔　　　　　〕

⓯ 2つの変数の関連性のことを何というか。 〔　　　　　〕

⓰ 一方の変数の値が大きくなると他方の変数の値も大きくなるとき，正と
負のどちらの⓯があるといえるか。 〔　　　　　〕

⓱ 一方の変数の値が大きくなると他方の変数の値が小さくなるとき，正と
負のどちらの⓯があるといえるか。 〔　　　　　〕

⓲ ⓯の強さを表す数値を何というか。 〔　　　　　〕

⓳ ⓲はいくつ以上いくつ以下の値をとるか。 〔　　　　　〕

解答・解説は別冊 p.14

1 データの収集

オープンデータについて，正しく述べているものを次の**ア～エ**のうちから1つ選びなさい。

ア インターネットで公開されているが，閲覧するためには専用のアカウントが必要である。

イ 無償でアクセスできる。

ウ 営利目的での利用はできない。

エ 機械判読に適さないものもある。

〔　　　　〕

2 データの収集と整理

みさきさんのクラスは，文化祭で食品販売を行うことになりました。次の各問いに答えなさい。

(1) みさきさんたちは，何を売るかを決めるため，過去のデータを分析して考えることにしました。み
さきさんたちが実際に行ったこととして，次の**ア～ウ**をデータの分析の進め方として適切な順序に並
べ替えなさい。

ア 来場人数や気温などと売り上げの関係について，表やグラフにまとめる。

イ 過去10年分の文化祭の出し物と売り上げに関するデータを集める。

ウ データに欠損や異常がないか確認する。

〔　　　　〕 → 〔　　　　〕 → 〔　　　　〕

(2) 次の**ア～オ**は，みさきさんたちが集めたデータの一部です。これらのデータを質的データと量的デー
タに分類したとき，あてはまるものをそれぞれ答えなさい。

ア 来場人数

イ 何を販売したか

ウ 文化祭当日の気温

エ 最も利益を出したクラス

オ 各商品の売り上げ

質的データ〔　　　　　　〕 　量的データ〔　　　　　　〕

(3) 下の表は，過去の10年分の来場人数に関するデータをまとめたものです。表の値のうち，欠損値
と考えられるものには○，異常値と考えられるものには×，外れ値と考えられるものには△を，表の
一番下の段の空欄に書き入れなさい。なお，どれでもないと考えられる値の欄は空欄のままでよい。

年度	2013	2014	2015	2016	2017	2018	2019	2020	2021	2022
来場人数（人）	3,127	2,871		2,822	2,947	2,943	2,6211	2,817	4,574	3,122

3 データの分析

次の文章は，あきらさんとまこさんの会話です。文章を読み，あとの問いに答えなさい。

あきらさん：うーん。

まこさん　：あきらさん，どうしたの？

あきらさん：今，クラスのみんなに答えてもらったアンケートの結果をまとめているんだけど，どうやってグラフにまとめたら良いかわからないんだ。

まこさん　：どんなデータを集めたの？

あきらさん：みんなの1日のスマートフォンの利用時間と，1か月に読む本の冊数を聞いたよ。スマートフォンの利用時間と読書の量に関係があるんじゃないかと思っているんだ。あとは，スマートフォンの使い方を見直すきっかけになればと思って，スマートフォンの主な使用目的についても聞いてみたよ。

まこさん　：そうしたら，スマートフォンの利用時間と読書の量の関係については，2つのデータの関係性について調べられる ア が使えそうだね。表計算ツールを使って2つのデータの イ の値を計算すれば，実際にどれくらい関係があるかわかると思うよ。

あきらさん：なるほど！　ええと，今グラフを作って計算してみるね。……①できた！ イ の値はおよそ-0.8と求められたよ。ということは，スマートフォンの利用時間と読書の量の間には ウ がある。つまり，スマートフォンの利用時間が長いほど，読書量は エ という傾向があるんだね。

まこさん　：こうやって，グラフや数値として傾向がつかめるとおもしろいね。それと，さっき言っていたスマートフォンの使用方法についてだけど，②どんな情報を知りたいかによって，使うべきグラフが変わってきそうだよね。

あきらさん：そうだね。情報の教科書を見て，復習してみることにするよ。

(1)　空欄ア〜エに当てはまる語を書きなさい。

ア〔　　　　　〕　イ〔　　　　　〕　ウ〔　　　　　〕　エ〔　　　　　〕

よく出る (2)　文中の下線部①について，あきらさんが作った ア として最も適当なものを，次のA〜Cから1つ選びなさい。〔　　　〕

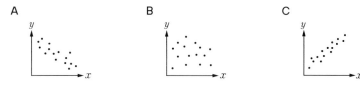

A　　　　　　　　B　　　　　　　　C

(3)　文中の下線部②について，次の(i)〜(iii)のような情報をわかりやすくするのに適切なグラフの種類をそれぞれ1つずつ挙げなさい。

(i)　スマートフォンの主な使用目的について，項目別の人数の比較〔　　　〕

(ii)　スマートフォンの主な使用目的について，各項目の全体に対する割合〔　　　〕

(iii)　スマートフォンの利用時間について，各時間別の人数のばらつきや偏り

〔　　　〕

3 | データベース

1 情報の収集と管理

1 情報の収集

- **①情報システム**…情報機器を通信回線に接続し，情報の収集，処理，蓄積，伝達などをする仕組み。
- **②データベース**…ある目的のために，一定の規則や項目に従って大量のデータを蓄積したもの。
- **階層データベース**…データをツリー型の階層構造で整理する仕組みを持つ。
- **ネットワークデータベース**…関連のあるデータ同士を相互に結びつけて保存する。

2 情報の管理

- **データベース管理システム（DBMS）**…データベースの作成や管理をする仕組み。数多くのデータをまとめて管理し，複数のユーザが同時に利用できるようにする。

3 DBMS の機能

- **整合性の保持**…データの重複や不正な更新を防ぎ，データの質を管理する機能。
- **一貫性の保持**…共有したデータに複数人が同時にアクセスや操作をしても矛盾が起きないようにする機能。
- **機密性の保持**…データの改ざんを防ぐために，データへのアクセス権限を管理したり，ユーザ認証を行ったりする機能。

2 リレーショナルデータベース

- **③リレーショナルデータベース**…表形式でデータを管理するデータベース。
- **主キー**…データベース内の表（テーブル）の中で，行を特定するために必要なキー。重複してはいけない。
- **複合キー**…複数のキーを組み合わせて主キーとなるキー。別名，連結キー。
- **外部キー**…他の表との関係を指定するために用いるキー。

---

❶ 情報システムの活用例

❷ DBMS の仕組み

❸ リレーショナルデータベースの仕組み

学籍番号	氏名	部活動コード
202304001	学研太郎	B01
202304002	田村花子	B04
202304003	佐藤純一	B03
202304004	志村正子	B04

部活動ID	部活動
B01	バスケットボール
B02	バレーボール
B03	テニス
B04	吹奏楽

→「生徒」という表（テーブル）において，「学籍番号」など重複せず，ある行（レコード）を特定するのに使える要素を候補キーと呼ぶ。その中から主キーを１つ選ぶ。

→「氏名」だけでは情報重複の可能性があるが，たとえば「氏名＋住所」などの複合キーにすれば生徒を特定する候補キーになる。

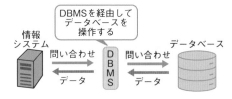

→外部キーを指定することで，「生徒」テーブルの「部活動ID」を変更すれば，それが「部活動」テーブルにも反映されるようになり管理が容易になる。

情報の収集

❶ 情報機器をネットワークに接続し，情報の収集，蓄積，伝達などをする
仕組みを何というか。　　　　　　　　　　　　　　　　　　　　　　　〔　　　　　　　〕

❷ ❶の活用例のうち，スーパーマーケットなどで商品の売上データ・購入
層などの情報を管理するために活用されている仕組みを何というか。　　〔　　　　　　　〕

❸ ある目的のために，特定の項目に従って大量のデータを蓄積したものを
何というか。　　　　　　　　　　　　　　　　　　　　　　　　　　　〔　　　　　　　〕

情報の管理

❹ データベースの作成や管理を行う仕組みを何というか。　　　　　　　　〔　　　　　　　〕

❺ ❹の機能のうち，データの重複を防ぎ，データの質を管理する機能を何
というか。　　　　　　　　　　　　　　　　　　　　　　　　　　　　〔　　　　　　　〕

❻ ❹の機能のうち，データの改ざん防止のためにユーザ認証などを行う機
能を何というか。　　　　　　　　　　　　　　　　　　　　　　　　　〔　　　　　　　〕

❼ ❹の機能のうち，同じデータに複数人が同時にアクセスしても矛盾が起
きないようにする機能を何というか。　　　　　　　　　　　　　　　　〔　　　　　　　〕

リレーショナルデータベース

❽ 表の形式でデータを管理するデータベースを何というか。　　　　　　　〔　　　　　　　〕

❾ データベース内の表の中で，行を特定するために必要なキーで，重複し
てはいけないものを何というか。　　　　　　　　　　　　　　　　　　〔　　　　　　　〕

❿ データベースの表の中で，複数のキーを組み合わせて❾となるキーを何
というか。　　　　　　　　　　　　　　　　　　　　　　　　　　　　〔　　　　　　　〕

⓫ データベースの表の中で，他の表との関係を指定するために用いるキー
を何というか。　　　　　　　　　　　　　　　　　　　　　　　　　　〔　　　　　　　〕

解答・解説は別冊 p.14

よく出る **1** 情報の収集

次の文章を読み，あとの問いに答えなさい。

現代では，わたしたちの身の回りにさまざまな情報があふれている。そんな中で，コンピュータなどの情報機器をネットワークに接続し，情報の収集， ア ，蓄積， イ などを行うための仕組みは ウ と呼ばれている。 ウ はわたしたちの社会生活や，経済活動を豊かにするために様々な場面で役立っている。具体的には，自身の位置情報を知るためのサービスである エ や，高速道路において無線で通行料金を支払う オ のシステム，小売店で商品の販売数や売上を管理する際の カ システム，銀行ではないところで口座に関する取引が可能な ATM などが挙げられる。

また， ウ における情報管理にも特徴がある。ある目的のために大量のデータを蓄積した， キ と呼ばれるものを活用してデータを管理している。 キ の中にもいくつかの種類があり，①データを格納する形式によってその種類が分かれている。

(1) 空欄**ア～キ**に当てはまる語を書きなさい。

ア [   ] イ [   ] ウ [   ]

エ [   ] オ [   ] カ [   ]

キ [   ]

(2) 文中の下線部①について， キ の種類を3つ答えなさい。

[   ]

[   ]

[   ]

2 情報の管理

次の文章は，ただしさんとゆいさんの会話です。文章を読み，あとの問いに答えなさい。

ただしさん：うーん……，何から調べればいいんだろう。

ゆいさん　：ただしさん，なにか困っているの？

ただしさん：そうなんだ。社会科の授業で，いくつかの歴史上の出来事について情報を調べてまとめる課題が出たんだけど，何をどこで調べればいいかがわからなくて。

ゆいさん　：それならこのサイトを見るといいよ。昔の新聞のバックナンバーがたくさんまとまっている ア にアクセスできて，調べ学習にとても有効だよ。

ただしさん：ありがとう！　すごく便利だね。そういえば ア って，この前の情報の授業で教わった言葉だよね。

ゆいさん　：そうそう。大量のデータを利用しやすい形にまとめたもの，と説明していたね。 ア を作成・管理する イ システムについても一緒に学習したよね。別名はアルファベットで ウ だよ。

ただしさん：そうだったね。

ゆいさん　　：さらに，　イ　システムには，3つの特徴があることも教わったね。覚えている？

ただしさん：たしか，「①整合性の保持」と「②一貫性の保持」と……，もう一つはなんだっけ？

ゆいさん　　：「③機密性の保持」だね。これら3つの機能によって，わたしたちは安全かつ正しい情報にアクセスできるんだよ。

ただしさん：これからも，技術の発展に感謝しながら情報を活用していきたいな。

(1)　空欄ア〜ウに当てはまる語を書きなさい。

ア〔　　　　　　　　〕　イ〔　　　　　　　　　〕　ウ〔　　　　　　　　　〕

(2)　文中の下線部①〜③について，これらの機能についてそれぞれ簡潔に説明しなさい。

①　整合性の保持

〔　　　　　　　　　　　　　　　　　　　　　　　　　　　　　　　　　　　　　　　〕

②　一貫性の保持

〔　　　　　　　　　　　　　　　　　　　　　　　　　　　　　　　　　　　　　　　〕

③　機密性の保持

〔　　　　　　　　　　　　　　　　　　　　　　　　　　　　　　　　　　　　　　　〕

(3)　ウ　について，このシステムを用いることでどのような利点があるか簡潔に答えなさい。

〔　　　　　　　　　　　　　　　　　　　　　　　　　　　　　　　　　　　　　　　〕

3　リレーショナルデータベース

次の文章を読み，あとの問いに答えなさい。

データベースにはさまざまな種類があるが，その中でも表（　ア　）の形式でデータを管理するものを　イ　データベース（もしくは　ウ　データベース）という。このデータベースでは，表の行・列に加え，①キーという要素を用いてデータの指定・管理を行う。キーは3種類あり，②それ1つだけでデータを特定できる（つまり　エ　がない）というものや，③表と表の要素をつなぎ合わせて指定するもの，④2つのキーを組み合わせてデータ特定に使用するものなど，それぞれ異なった特徴をもつ。

(1)　空欄ア〜エに当てはまる語を書きなさい。

ア〔　　　　　　　　〕　イ〔　　　　　　　　　〕

ウ〔　　　　　　　　〕　エ〔　　　　　　　　　〕

(2)　文中の下線部①について，3種類のキーの名称をすべて答えなさい。

〔　　　　　　　〕〔　　　　　　　〕〔　　　　　　　〕

(3)　文中の下線部②〜④について，それぞれどのキーの説明をしているか答えなさい。

②〔　　　　　　　　〕　③〔　　　　　　　　　〕　④〔　　　　　　　　　〕

(4)　イ　データベースにおいて，「図書館の蔵書」という表があった場合，その表で下線部②，下線部④に該当するキーはそれぞれどのようなものか考えて答えなさい。

下線部②〔　　　　　　　　　　　　　　　　　　　　　　　　　　　　　　　〕

下線部④〔　　　　　　　　　　　　　　　　　　　　　　　　　　　　　　　〕

1 モデル化

1 モデル

- **モデル**…現象や物事の特徴を抽出して単純化し、「本物と似せて作ったもの」。
- **モデル化**…モデルを作成すること。問題解決の手段の一つでもあり、実際に起きる可能性があることを予測できる。
- **シミュレーション**…モデルを使った実験のこと。コストがかかる状況や、危険が伴うような状況も再現することができる。
- **モンテカルロ法**…コンピュータの乱数を利用したシミュレーション。

2 モデルの分類

1 モデルの表現形式による分類

- ❶**物理モデル**…対象を物理的に表現したモデル。
- → **実物モデル**…実物大の大きさのモデル。
- → **拡大モデル**…拡大した大きさのモデル。
- → **縮小モデル（スケールモデル）**…縮小した大きさのモデル。
- ❷**論理モデル**…対象を図や数式を使って表現したモデル。
- → **図的モデル**…図で表現したモデル。
- → **数式モデル**…数式で表現したモデル。

2 ❸モデルの特性による分類

- **静的モデル**…時間で変化しない現象を表現したモデル。
- **動的モデル**…時間で変化する現象を表現したモデル。
- **確定的モデル**…規則的に変化する現象を表現したモデル。
- **確率的モデル**…不規則な変化を含む現象を表現したモデル。

❶

物理モデル

実物モデル	拡大モデル	縮小モデル
実物大のモデル	拡大したモデル	縮小したモデル
モデルルーム	分子模型	プラスチックモデル

❷

論理モデル

図的モデル	数式モデル
図で表現したモデル	数式で表現したモデル
フローチャートなど	$y = ax + b$ 数式

❸

さまざまなモデル

静的モデル	動的モデル
時間で変化しない現象のモデル	時間で変化する現象のモデル
フロアマップ	移動距離

確定的モデル	確率的モデル
規則的な現象のモデル	不規則な現象を含むモデル
浴槽にたまるお湯の量	サイコロの出目

解答・解説は別冊 p.15

モデル化

❶ 現象や物事の特徴を抽出して単純化し,「本物と似せて作ったもの」を
何というか。 〔   〕

❷ ❶を作成することを何というか。 〔   〕

❸ ❶を使った実験のことを何というか。 〔   〕

❹ 乱数を利用した❸を何というか。 〔   〕

モデルの表現形式による分類

❺ 対象を物理的に表現したモデルを何というか。 〔   〕

❻ 実物大の大きさのモデルを何というか。 〔   〕

❼ 拡大した大きさのモデルを何というか。 〔   〕

❽ 縮小した大きさのモデルを何というか。 〔   〕

❾ 対象を図や数式を使って表現したモデルを何というか。 〔   〕

❿ 図で表現したモデルを何というか。 〔   〕

⓫ 数式で表現したモデルを何というか。 〔   〕

モデルの特性による分類

⓬ 時間で変化しない現象を表現したモデルを何というか。 〔   〕

⓭ 時間で変化する現象を表現したモデルを何というか。 〔   〕

⓮ 規則的に変化する現象を表現したモデルを何というか。 〔   〕

⓯ 不規則な変化を含む現象を表現したモデルを何というか。 〔   〕

解答・解説は別冊 p.15

1　モデル化

次の文章を読み，あとの問いに答えなさい。

モデルハウスやプラスチックモデルなど，私たちの身の周りにはたくさんのモデルが存在している。モデルとは，現象や物事の特徴を抽出して単純化し，「本物と似せて作ったもの」である。

このようなモデルを作ることを，①モデル化という。モデルにはさまざまな種類があり，モデルハウスやプラスチックハウスは ア に分類される。その中でも，モデルハウスは実物大の大きさでモデル化されるので， ア の中でも イ に分類される。モデルハウスを実物大に作ることで，②モデルハウスでの生活を想像したり，体験したりすることができる。

このように，それぞれのモデルには特徴があるため，③モデル化をする際には注意が必要である。

(1)　空欄**ア**，**イ**に当てはまる語を書きなさい。

ア〔　　　　　　　　　　〕　イ〔　　　　　　　　　　〕

(2)　文中の下線部①について，モデル化を行う目的は何か答えなさい。

〔　　　　　　　　　　　　　　　　　　　　　　　　　　　　　　　〕

(3)　文中の下線部②について，これはシミュレーションの一例である。シミュレーションをする際に，モデルを活用することの利点を答えなさい。

〔　　　　　　　　　　　　　　　　　　　　　　　　　　　　　　　〕

(4)　文中の下線部③について，モデル化をする際に注意することを答えなさい。

〔　　　　　　　　　　　　　　　　　　　　　　　　　　　　　　　〕

よく出る
2　モデルの分類

次の(1)～(5)の目的や状況に応じて適切だと考えられるモデルの種類を，それぞれ次の 　　　 の中からすべて選んで答えなさい。

(1)　新しい自動車を開発している。この自動車が，現行の商品よりも性能がよいことを確かめたい。具体的には，長時間移動をシミュレーションし，時間に応じてどれくらい走行距離が伸びるかを確認したい。

(2)　理科の授業で，水素について教えたいと考えている。水素の分子構造がどうなっているのかを，物理的なモデルを使って生徒に示したい。その際，実際のサイズで見せてしまうと小さすぎて不明瞭なので，わかりやすい大きさにしたい。

(3)　来月から，駅前で大きなショッピングセンターが開店する。ショッピングセンターは4階建てなので，どんな店がどこにあるのか，また，トイレやエレベーターの位置などをわかりやすく表現し，ホームページや館内に掲示したい。

(4) 金魚を飼っている四角い水槽がある。この水槽にどれだけの水が入るかを計算して求めたいと考えている。

(5) 自動販売機で飲み物を購入する。この自動販売機では，1本の飲み物を購入すると，一定の確率で「あたり」が出る。「あたり」が出ると，もう1本飲み物を無料でもらうことができる。このことをモデルとして表したい。

> 動的モデル　静的モデル　拡大モデル　図的モデル　数式モデル　確率的モデル

(1) 〔　　　　　　　　　　　　　〕
(2) 〔　　　　　　　　　　　　　〕
(3) 〔　　　　　　　　　　　　　〕
(4) 〔　　　　　　　　　　　　　〕
(5) 〔　　　　　　　　　　　　　〕

3 　モデル

次の文章を読み，あとの問いに答えなさい。

だいすけさんは，課題で自分の身の回りにあるモデルについて調べています。そこで，だいすけさんは自分の部屋にあって，モデルに関係しそうなものを集めました。

だいすけさんが集めたものは以下の5つです。

> さいころ　　地球儀　　路線図　　プラモデル　　砂時計

だいすけさんは，自分が集めたものがすべて何らかのモデルと関係があることに気がつきました。

(1) だいすけさんが集めた5つのものについて，それぞれと関係があるモデルの種類を答えなさい。

さいころ　〔　　　　　　　　　　　〕
地球儀　　〔　　　　　　　　　　　〕
路線図　　〔　　　　　　　　　　　〕
プラモデル〔　　　　　　　　　　　〕
砂時計　　〔　　　　　　　　　　　〕

(2) 「フローチャート」はだいすけさんが集めた5つのもののうち，1つと同じモデルに分類されます。「フローチャート」と同じ分類をされるものは何か，答えなさい。

〔　　　　　　　　　　　〕

(3) 自分の身の回りで，モデルに関係するものを1つ選び，どんな種類のモデルと関係があるか答えなさい。

モデルに関係するもの〔　　　　　　　　　　　〕
関係するモデルの種類　〔　　　　　　　　　　　〕

定期テスト対策問題⑤

解答・解説は別冊 p.16

得点

/100

1 以下の文中の空欄**ア〜エ**にあてはまる語句を答えなさい。 (各7点, 計28点)

　理想と現実とのギャップのことを，　**ア**　という。　**ア**　を解決するための手法としてさまざまな方法があり，グループで自由にテーマについて発言し，できるだけ多くのアイデアを集める方法の　**イ**　や，　**イ**　で出た複数のアイデアをまとめて整理する　**ウ**　，中心にテーマを描き，イメージを膨らませながらアイデアを整理していく　**エ**　などがある。

ア		イ	
ウ		エ	

2 データ分析についての以下の文章を読み，あとの問いに答えなさい。 (各5点, 計30点)

　データ分析は，問題解決をする際に有効な手段の一つである。データ分析は，①データの収集，②データの整理，③データの分析の順番に進める。

(1) 下線部①について，以下の問いに答えなさい。

　(i) e-Stat やデータカタログサイトなどで閲覧できる，営利・非営利目的を問わず誰でも二次利用が可能で，機械判読に適しているデータのことを何というか。

　(ii) 質的データ，量的データについての以下の**ア〜エ**の文章のうち，正しいものを1つ選びなさい。

　　ア 質的データは文字情報などのデータであり，量的データは画像情報などのデータである。

　　イ 質的データは文字情報などのデータであり，量的データは数値で表されるデータである。

　　ウ 質的データは数値で表されるデータであり，量的データは文字情報などのデータである。

　　エ 質的データは画像情報などのデータであり，量的データは数値で表されるデータである。

(2) 下線部②について，他のデータから大きく外れた値のことを何というか。

(3) 下線部③について，以下の問いに答えなさい。　　　　　　　図

　(i) ある商品の売上の推移のデータは，どのようなグラフにして表すのが良いか，答えなさい。

　(ii) 右の図のように，2つの変数の関係性を分析する図の名称を答えなさい。

　(iii) 図の相関係数として正しい値を，以下の**ア〜ウ**の中から選びなさい。

　　ア -0.9　　　**イ** -0.2　　　**ウ** 0.8

(1)	(i)		(ii)	
(2)				
(3)	(i)		(ii)		(iii)	

3 以下の表は，生徒の情報に関するリレーショナルデータベースの一部である。以下の問いに答えなさい。 (各4点，計12点)

テーブル1

学籍番号	名前	委員会ID
23001	ピーター	001
23002	アン	004
23003	スーザン	004
23004	アレックス	003

テーブル2

委員会ID	委員会名
001	図書委員
002	風紀委員
003	保健委員
004	美化委員

(1) テーブル1において，どの項目を主キーにするべきか，答えなさい。

(2) テーブル1における委員会IDのようなキーを何というか。

(3) 学籍番号が23003の生徒の委員会名を書きなさい。

(1)		(2)	
(3)			

4 次の文章を読み，空欄**ア〜カ**にあてはまる語を書きなさい。 (各5点，計30点)

現象や物事の特徴を抽出して単純化し，本物と似せて作ったものを ア という。また， ア を作成することを， イ という。 ア は，表現形式によって分類され，対象を物理的に表現した ア を ウ といい，それに対して，対象を図や数式を使って表現した ア を エ という。また ア は特性による分類もされ，時間で変化しない現象を表現した ア を オ ，時間で変化する現象を表現した ア を カ という。

ア		イ	
ウ		エ	
オ		カ	

1 次の会話文を読んで，あとの問いに答えなさい。

Ａさん　うーん……。

Ｂさん　Ａさん，難しい顔をしてどうしたの？

Ａさん　昨年の数学のテストの点数が悪かったから，悩んでいてね。

Ｂさん　Ａさんはいつも平均点より高い点数を取っていなかったっけ？　悪い点数だったの？

Ａさん　もっと高い点数を取るのが理想なんだよね。

Ｃさん　Ａさんが抱えているような理想と現実のギャップのことを，　ア　というね。　ア　を解決するには①適切なプロセスをたどることが大切なんだ。

Ａさん　そうなんだね。私の昨年の数学のテストの点数とそのテストの満点を表に書いてみたよ。

Ｃさん　現状の把握も　ア　の解決に有効だね。データ分析は，　②　の3ステップで行うよ。1つ目のステップはもう終わっているから，2つ目のステップから一緒に見ていこう。

Ｂさん　2学期中間テストの点数だけ，他の点数と大きくかけ離れているね。何かあったの？

Ａさん　このテストは，体調が優れなくて本調子が出せなかったんだ。

Ｂさん　じゃあこのテストの点数は　イ　だね。分析の対象外にしよう。

Ｃさん　それと，学年末テストだけ満点が200点だから，分析しやすくするためにこのデータを加工しよう。

Ａさん　③このテストの満点も100点に置き換えて計算したらいいね。

Ｃさん　これでデータ分析の2つ目のステップが終わったね。3つ目のステップに入ろう。

Ｂさん　2学期中間テストの点数を外して，学年末テストの点数を加工したデータを④グラフにして表したら，Ａさんのテストの点数の傾向が見えるんじゃない？

	1学期中間	1学期末	2学期中間	2学期末	学年末
Ａさんの点数	62	66	23	73	158
満点	100	100	100	100	200

Ａさん　グラフにしたら，数学のテストの点数が少しずつ上がっていることがわかったよ。今年もこの調子で勉強してもっと伸ばしていこうと思う。二人ともありがとう！

問題

(1)　文中の空欄**ア**，**イ**に当てはまる言葉を書きなさい。

　　　　　　　　　　　　　　　　ア〔　　　　　　　　　〕　イ〔　　　　　　　　　〕

(2)　下線部①について，Ａさんの悩みを解決するために行った以下の**ア〜ウ**の行動を，適切な順番になるように並べ替えなさい。

　ア　結果を振り返って，点数が伸びたかどうかを分析する。

　イ　どうしたら点数が伸びるのか，解決案を検討する。

　ウ　解決案を実行して，テストを受ける。

　　　　　　　　　　　　　　　　　　　　　　　　　　　　　〔　　　　　　　　　〕

(3)　(2)の**イ**の解決案として，具体的な例を一つ書きなさい。

〔　　　　　　　　　　　　　　　　　　　　　　　　　　　　　　　　〕

(4)　②に当てはまる言葉を，以下の**ア～ウ**から選びなさい。

　　ア　収集→分析→整理

　　イ　整理→収集→分析

　　ウ　収集→整理→分析

〔　　　　　　　〕

(5)　下線部③のように加工したときの，学年末テストの点数を答えなさい。

〔　　　　　　　〕

(6)　下線部④について，Aさんのテストの点数のデータはどのグラフで表すのが適切か。以下の**ア～ウ**から1つ選びなさい。

　　ア　円グラフ

　　イ　レーダーチャート

　　ウ　折れ線グラフ

〔　　　　　　　〕

2　　次の文章を読んで，あとの問いに答えなさい。

　私たちが日常的に利用しているサービスや情報システムでは，大量のデータを扱う必要がある。これらのデータを蓄積して利用しやすくしたものをデータベースという。このデータベースの作成・管理をする仕組みのことを，①データベース管理システム（DBMS）という。また，表形式でデータを管理するデータベースのことを，②リレーショナルデータベースという。

(1)　下線部①には膨大なデータを管理するのにさまざまな機能が用意されている。その機能の一つについて，その機能が保持する性質とその具体的な機能を書きなさい。

保持する性質〔　　　　　　　　　　　　　〕

具体的な機能〔　　　　　　　　　　　　　　　　　　　　　　　　　　　　　　　　　　　　　　〕

(2)　下線部②について，次のリレーショナルデータベースにおいて外部キーにするのに適切な項目を答えなさい。

社員番号	名前	担当業務
100201	石川みさと	広報
100202	木村あい	営業
100203	青山ゆう	人事
100204	森下はじめ	広報

〔　　　　　　　〕

1 | アルゴリズムとプログラミングの基本

| STEP 1 | 重要ポイント

1 アルゴリズム

1 ①アルゴリズム

- ある課題を解決するための計算手順や処理手順。全てのアルゴリズムは順次・分岐・反復という三種類の制御構造の組み合わせで表される。
- **②フローチャート**…アルゴリズムを図で表す方法。

2 アルゴリズムの基本構造

- **順次構造**…順番に処理を行う構造。一つの処理が終わったら次の処理を行う。
- **分岐構造**…条件を満たしているかそうでないかによって処理が分岐する構造。
- **反復構造**…条件を満たしている間，同じ処理を繰り返す構造。

2 プログラミング

1 プログラミング

- コンピュータにわかる言葉で指示を書く。
- **③プログラミング言語**…プログラミングのために作られた言語。
- **④プログラム**…プログラミング言語によって記述されたアルゴリズム。
- **機械語（マシン語）**…0と1の組み合わせで表される言語。プログラムは機械語に変換（翻訳）して実行される。
- **コンパイラ**…実行前にプログラムをまとめて機械語に変換するもの。
- **インタプリタ**…一文一文変換しながら実行していくもの。言語の種類によって，コンパイラ型かインタプリタ型かに分かれる。

2 ④変数

- プログラムで扱うデータを格納する領域。
- **変数の宣言**…変数を使うために，変数の名前と変数に入るデータの種類（整数や文字列など）を表す型を決める。
- **代入**…「=」の左辺に右辺の値を入れる。

❶ **アルゴリズム**

材料を切る → カレールーを3つ用意する / カレールーがなければ終了 → 具材に火が通るまで煮込む → 完成

❷ **フローチャート**

【フローチャートに使う主な記号】

記号	名称	意味
⬭	端子	開始・終了
☐	処理	演算などの処理
◇	判断	条件による分岐
─	線	処理の流れ
⬠	ループ端	繰り返しの開始
⬡	ループ端	繰り返しの終了

❸ **プログラミング言語**

記号	特徴
C（シー）	ハードウェアの制御処理が得意。OSやアプリケーションの開発に用いられる。
Java（ジャバ）	特定のOSによらず，さまざまな環境で実行することができる。
JavaScript（ジャバスクリプト）	Webページにアニメーションなどの動きを加えることができる。
Python（パイソン）	初学者にも取り組みやすい文法。人工知能や機械学習の分野で利用されることが多い。

❹ **プログラムと変数**

【変数 a，b の和と変数 name を出力するプログラムと実行結果】

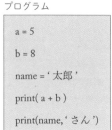

プログラム

```
a = 5

b = 8

name = '太郎'

print( a + b )

print(name,'さん')
```

実行結果

```
13
太郎さん
```

アルゴリズム

❶ ある課題を解決するための計算手順や処理手順のことを何というか。 〔　　　　　〕

❷ ❶を図で表す方法を何というか。 〔　　　　　〕

アルゴリズムの基本構造

❸ ❶の基本構造のうち，順番に処理を行う構造を何というか。 〔　　　　　〕

❹ ❶の基本構造のうち，条件を満たしているかそうでないかによって処理が分岐する構造を何というか。 〔　　　　　〕

❺ ❶の基本構造のうち，条件を満たしている間，同じ処理を繰り返す構造を何というか。 〔　　　　　〕

プログラミング

❻ コンピュータにわかる言葉で指示・命令を書いていく行為のことを何というか。 〔　　　　　〕

❼ ❻のために作られた言語のことを何というか。 〔　　　　　〕

❽ ❼によって記述された❶を何というか。 〔　　　　　〕

❾ 0と1の組み合わせで表される言語のことを何というか。 〔　　　　　〕

❿ 実行前にプログラムをまとめて機械語に変換するものを何というか。 〔　　　　　〕

⓫ 一文一文変換しながら実行していくものを何というか。 〔　　　　　〕

変数

⓬ ❽で扱うデータを格納する領域を何というか。 〔　　　　　〕

⓭ ⓬を使うために，⓬の名前と⓬に入るデータの種類（整数や文字列など）を表す型を決めることを何というか。 〔　　　　　〕

⓮ ❼において，「＝」の左辺に右辺の値を当てはめることを何というか。 〔　　　　　〕

1　アルゴリズム

次の「テストが 60 点を超えるまで再テストを受ける」というアルゴリズムのフローチャートの空欄①～③に当てはまる処理を，**ア～ウ**から選びなさい。

ア　もう一度テストを受ける
イ　テストの点数の値を更新する
ウ　テストの点数＜60

①〔　　　　　〕　②〔　　　　　〕　③〔　　　　　〕

2　アルゴリズム

「目的の本が図書館にあれば借り，なければ本屋で買う」というアルゴリズムを表したフローチャートの**ア～ウ**に当てはまる文章を書きなさい。

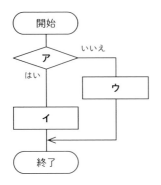

ア〔　　　　　　　　　　　　　　　　　　　　　　　　　　　〕
イ〔　　　　　　　　　　　　　　　　　　　　　　　　　　　〕
ウ〔　　　　　　　　　　　　　　　　　　　　　　　　　　　〕

3　アルゴリズム

次の文章を読んで，以下の問いに答えなさい。

ある課題を解決するための計算手順や処理手順であるアルゴリズムは，順番に処理を行う構造である ア 構造と，条件を満たしているかそうでないかによって処理が分岐する構造である イ 構造，条件を満たしている間，同じ処理を繰り返す ウ 構造の三種類の制御構造の組み合わせで表される。また，アルゴリズムを図で表す方法として，フローチャートという手法がある。

(1)　空欄**ア～ウ**に当てはまる言葉を書きなさい。

ア〔　　　　　　　　　　　〕イ〔　　　　　　　　　　　〕ウ〔　　　　　　　　　　　〕

(2) 文中の波線部について，次のフローチャートの記号と名称，意味を結びなさい。

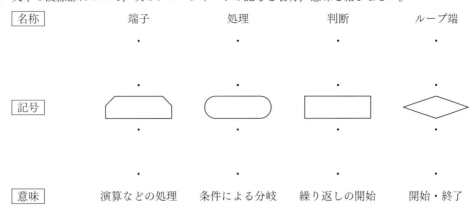

名称　　　　　　　　端子　　　　　　　　処理　　　　　　　　判断　　　　　　　ループ端
　　　　　　　　　　 ・　　　　　　　　 ・　　　　　　　　 ・　　　　　　　　 ・

記号

意味　　　　　　演算などの処理　　条件による分岐　　繰り返しの開始　　開始・終了

4　プログラミング

次の Python で書かれたプログラムの実行結果を答えなさい。

```
a = 6
b = 3
print ('a + b = ', a + b)
```

[　　　　　　　　　　　]

5　プログラミング

下の Python で書かれたプログラムについて，以下の問いに答えなさい。

```
a = 2
b = 3
name = '花子'
print ( name,' さんが投げた 2 つのサイコロの出た目の合計は ', a + b)
```

(1)　右のプログラムにおける a, b, name のことを何というか。

[　　　　　　　　　　　]

(2)　1 行目〜3 行目の操作を何というか。

[　　　　　　　　　　　]

(3) このプログラムの実行結果を答えなさい。

[　　　　　　　　　　　　　　　　　　　　　　　　　　　　]

(4)　Python は，人工知能や機械学習の分野で利用されることの多い，インタプリタ型言語である。インタプリタとは何か，答えなさい。

[　　　　　　　　　　　　　　　　　　　　　　　　　　　　]

(5)　インタプリタに対し，実行前にプログラムをまとめて機械語に変換するものを何というか。

[　　　　　　　　　　　]

2 | プログラミングの重要技能

1 Python でのプログラミング

1 ①条件分岐

- **if 文**…条件を満たしているかどうかによって処理を分岐させる文。「if 条件式 :」と記述し、次の行に実行する処理を書く。
- **elif 句**…if 文の条件を満たさなかった場合に、次の条件を示して処理を分岐させる句。いくつでも記述可能。「elif 条件式 :」と記述し、次の行に実行する処理を書く。
- **else 句**…if 文と elif 句の条件を全て満たさない場合に実行する処理が書かれる句。「else:」と記述し、次の行に実行する処理を書く。elif 句と else 句はなくてもよい。
- **input()**…プログラム実行時、() 内の文字列を表示したあと、キーボードから文字を入力させる命令。
- **int()**…() 内の文字列を整数値に変換する命令。input() で入力した文字も文字列として扱われるため、int() をあわせて使用する。

2 ②繰り返し

- **for 文**…処理を繰り返し実施する際に使う。「for 変数 in リスト :」と記述し、次の行に繰り返し実行する処理を書く。

3 ②配列

- **配列**…複数の値を 1 つのまとまりとして扱うことができる仕組み。たとえば 0〜2 の値を配列 num に代入するときは、「[num＝[0,1,2]]」と記述する。何番目の要素を参照するか、指定できる。0 番目から数える。
- **リスト**…要素と、次のデータが入っている場所の二つのデータが繋がっている構造。参照したい要素まで順番にたどる。
- **range()**…数値が複数設定されたリストを作成する命令。「range(3)」と記述すると 0〜2 の数字を持つリストである [0, 1, 2] が作成される。

① 条件分岐

テストの点数を受け取り、点数によって評価を表示するプログラムは以下のようになる。

```
1: x = int(input('点数を入力してください'))
2: if x > 80:
3:     print('あなたの評価は A です。')
4: elif x > 60:
5:     print('あなたの評価は B です。')
6: else:
7:     print('あなたの評価は C です。')
```

1 行目：「点数を入力してください」と表示し、入力された数字の文字列を整数値に変換し、変数 x に代入している。

2、3 行目：条件「x > 80」を満たすとき、3 行目の処理が実行される。

4、5 行目：2 行目の条件を満たさず、かつ「x > 60」を満たすとき（80 ≧ x > 60 のとき）、5 行目の処理が実行される。

6、7 行目：2 行目と 4 行目の条件を両方とも満たさないとき（60 ≧ x のとき）、7 行目の処理が実行される。

② 繰り返し・配列

順番が対応した教科と点数のリストを使って、全ての教科の点数を表示するプログラムは以下のようになる。

```
1: [subject = ['国語','数学','英語','理
          科','社会']]
2: [score = [90, 86, 75, 71, 98]]
3: for i in range(5):
4:     print(subject[i],'の点数は ',score[i])
```

1 行目：教科名の文字列の配列 subject を定義している。

2 行目：subject の順番に対応するように点数を入れた、整数値の配列 score を定義している。

3、4 行目：変数 i の値が、リスト [0, 1, 2, 3, 4] の値に順番に変化する間、「配列 subject の i 番目の文字列、『の点数は』、配列 score の i 番目の数字」が表示される。

条件分岐

❶ 条件を満たしているかどうかによって処理を分岐させる文のことを何というか。 〔　　　　　〕

❷ ❶の条件を満たさなかった場合に，次の条件を示して処理を分岐させる句を何というか。 〔　　　　　〕

❸ ❶と❷の条件を全て満たさない場合に実行する処理が書かれる句のことを何というか。 〔　　　　　〕

❹ プログラム実行時，（）内の文字列を表示させた後，キーボードから文字を入力できる命令を，（）内の文字を省略して答えよ。 〔　　　　　〕

❺ （）内の文字列を整数値に変換する命令を，（）内の文字を省略して答えよ。 〔　　　　　〕

繰り返し

❻ 処理を繰り返し実施する際に使う文のことを何というか。 〔　　　　　〕

配列

❼ 複数の値を1つのまとまりとして扱うことができる仕組みを何というか。 〔　　　　　〕

❽ ❼は，何番目から数えはじめるか答えよ。 〔　　　　　〕

❾ 要素と，次のデータが入っている場所の二つのデータが繋がっている構造を何というか。 〔　　　　　〕

❿ 数値が複数設定されたリストを作成する命令を，（）内の文字を省略して答えよ。 〔　　　　　〕

⓫ 0～4の数字を持つリストである {0, 1, 2, 3, 4} を作成する命令を，（）内の文字を含めて答えよ。 〔　　　　　〕

1　条件分岐

　次の Python で書かれたプログラムは，入力された数字によってラッキーアイテムを表示するプログラムである。以下の問いに答えなさい。

(1)　空欄**ア**，**イ**に当てはまるプログラムを書きなさい。

　　　ア〔　　　　　　　〕　**イ**〔　　　　　　　〕

(2)　4 を入力したとき，何と表示されるか。

　　　　　　〔　　　　　　　　　　　　　〕

(3)　「ラッキーアイテムは眼鏡です」と表示されたとき，何の数字を入力したことがわかるか，すべて答えなさい。　〔　　　　　　　〕

```
1: x = int (input('0～9までの数字を入力してください'))
2: if x > 7:
3:    print ('ラッキーアイテムは紅茶です')
4:  ア  x > 6:
5:    print ('ラッキーアイテムは眼鏡です')
6:  イ  :
7:    print ('ラッキーアイテムは定規です')
```

2　繰り返し・リスト

(1)　「for i in range (3):」という繰り返し文があったとき，次の行の処理は何回行われるか，答えなさい。

　　　　　　　　　　　　　　　　　　　　　　　　　　　　　〔　　　　　　　　　〕

(2)　「range (4)」というリストの中身を書きなさい。

　　　　　　　　　　　　　　　　　　　　　　　　　　　　　〔　　　　　　　　　〕

3　配列

　右の Python のプログラムは，アルファベットの文字を配列に代入し，表示するプログラムである。以下の問いに答えなさい。

(1)　このプログラムの実行結果を書きなさい。

　　　　　　　　〔　　　　　　　　　〕

```
[list = ['a','b','c','d']]
print (list[3])
```

(2)　配列とリストについて書かれた以下の**ア**～**エ**の文章のうち，適切なものをすべて選びなさい。

ア　配列の要素として数字は代入できないが，リストには数字が代入できる。

イ　配列は何番目の要素を参照するか指定できる。

ウ　リストは，順番にたどって要素を参照する。

エ　配列は要素を 1 番目から数える。

　　　　　　　　　　　　　　　　　　　　　〔　　　　　　　　　〕

4 | Python でのプログラミング

以下のフローチャートからプログラムを書きなさい。

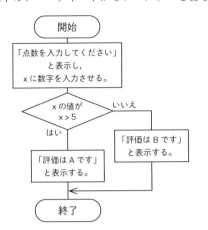

プログラム

5 | Python でのプログラミング

次の Python でのプログラミングの実行結果を，**ア〜ウ**の中から選びなさい。

(1)

```
1: x = 4
2: for i in range (4) :
3:   print ( x )
```

ア	イ	ウ
4	1	0
4	2	1
4	3	2
4	4	3

[　　]

(2)

```
1: x = 5
2: for i in range (10) :
3:   if i < 5:
4:     print ( x - i )
5:   else:
6:     print ( x + i )
```

ア	イ	ウ
4	5	5
3	4	4
2	3	3
1	2	2
10	1	1
11	10	15
12	11	14
13	12	13
14	13	12
15	14	11

[　　]

解答・解説は別冊 p.18

得点

/100

1 次の文章を読み，あとの問いに答えなさい。 （各6点，計36点）

　ある課題を解決するための計算手順や処理手順のことを，①アルゴリズムという。アルゴリズムは，②順番に処理を行う構造，③条件を満たしているかそうでないかによって処理が分岐する構造，④条件を満たしている間，同じ処理を繰り返す構造の三種類の制御構造の組み合わせでできている。

(1) 下線部①について，アルゴリズムを図で表す方法のことを何というか。

(2) 下線部②，③，④の構造の名称をそれぞれ答えなさい。

(3) 「はじめにiに1を代入し，iが5よりも小さい間，iに1を足す」というアルゴリズムを正しく表したフローチャートを以下の**ア〜エ**から選びなさい。

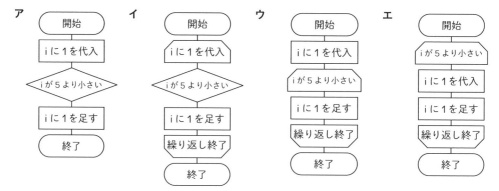

(4) (3)において，「iに1を足す」という処理は何回行われるか，答えなさい。

(1)			
(2) ②		③	④
(3)		(4)	

2 次の文章を読み，あとの問いに答えなさい。 （各5点，計40点）

　コンピュータにわかる言葉で指示・命令を書いていく行為のことをプログラミングという。また，プログラミングのために作られた言語のことを **ア** といい，**ア**によって記述されたアルゴリズムを①プログラムという。また，0と1の組み合わせで表される言語のことを **イ** といい，実行前にプログラムをまとめて**イ**に変換するものを **ウ** ，それに対し，一文一文変換しながら実行していくものを **エ** という。

(1) 空欄**ア〜エ**に当てはまる語を書きなさい。

(2) 下線部①について，以下の問いに答えなさい。

　(i) プログラムで扱うデータを格納する領域のことを何というか。

　(ii) 右のPythonで書かれたプログラムの(i)である文字を答えなさい。

```
x = 1
print('x =', x)
```

(iii) 前問の Python で書かれたプログラムの実行結果を答えなさい。

(iv) 「＝」の左辺に右辺の値を当てはめることを何というか。

(1)	ア		イ		ウ		エ	
(2)	(i)		(ii)		(iii)		(iv)	

3 以下の問題文において，プログラミングとは Python でのプログラミングのことであり，プログラムは全て Python のプログラムとする。あとの問いに答えなさい。 (各6点，計24点)

(1) 右のプログラムの実行結果を書きなさい。

(2) 変数 x にキーボードから数字を入力させるプログラムは，「x = ▢ (input（'点数を入力してください'))」である。▢ に当てはまる言葉を答えなさい。

(3) 「range（5)」というリストの中身を書きなさい。

(4) 以下のフローチャートを正しく表したプログラムを，**ア～エ**の中から1つ選びなさい。

```
i = 3
if i < 2:
    print('c')
elif i = 2:
    print('b')
else:
    print('a')
```

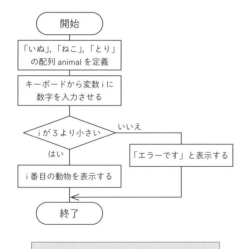

ア
```
[animal = ['いぬ','ねこ','とり']]
i = int (input('1～3 の数字を入力')
if i < 3:
    print (animal[i])
else:
    print ('エラーです')
```

イ
```
[animal = ['いぬ','ねこ','とり']]
i = int (input('1～3 の数字を入力')
if i < 3:
    print (animal[i])
print ('エラーです')
```

ウ
```
[animal = ['いぬ','ねこ','とり']]
i = int (input('0～2 の数字を入力')
if i < 3:
    print (animal[i])
else:
    print ('エラーです')
```

エ
```
[animal = ['いぬ','ねこ','とり']]
i = int (input('0～2 の数字を入力')
if i < 3:
    print (animal[i])
print ('エラーです')
```

(1)		(2)	
(3)		(4)	

探究問題⑥

解答・解説は別冊 p.19

 Aさんのクラスでは，各班ごとに課題に沿ったプログラムを書くことになった。以下の【各班に出された課題】，【Aさんの班の会話】，【Eさんの班のメモ】を読んで，あとの問いに答えなさい。

【各班に出された課題】

| Aさんの班 | 100円のりんご，150円のバナナ，200円のチョコレートの購入数a，b，cをそれぞれ入力させ，合計金額payを計算するプログラム |

| Eさんの班 | 1から入力された数numまでの数字を足した答えsumを表示するプログラム |

| Iさんの班 | 家族の年齢のリスト［13，16，20，46，49，70］から，家族を高齢者（65歳以上），成人（18歳以上），未成年（18歳未満）に分類して何人いるのかを表示する。 |

【Aさんの班の会話】

Aさん：まず，3つの値段を配列priceに代入する，「［price = ［100, 150, 200］］」という文を書きましょう。

Bさん：その次は購入数をa，b，cに入力してもらう文を書くといいのかな。例えばaだと，「 a = int (input（'りんごの個数'））」となるね。

Cさん：そうだね。そうしたら，そのまま，「pay = 100 * a + 150 * b + 200 * c」と計算したらいいんじゃないかな。

Dさん：それだとAさんが値段を配列priceに代入した意味がなくなってしまうよ。

Aさん：そのまま100などの数値を使うのではなくて，①price［0］などを使ってpayを計算したらいいんじゃない。

Bさん：そうすることで，もし商品の値段が変わっても，はじめの配列の値を変えるだけで済むから効率的だね。

Cさん：もっと効率の良いやり方を思いついたよ。a，b，cも配列として扱おうよ。

Dさん：それは素晴らしいね。②配列priceの順番に対応させてa，b，cを配列にすれば，for文を使って計算ができそうじゃない？

Aさん：そうしたら，これからさらに商品が増えても，for文のリストの大きさを変えるだけで済むからもっと効率が良いね。

【Eさんの班のメモ】

① num という変数に数字を入力させる。 ──▶ sum = 0 と for 文の前に定義しておく
② for 文で 1 から num までを一つずつ sum に足していく。
　「for i in range （ ア ）」とすれば，i は 0 から イ までの値に変化するので，i を sum に足していけば良い。
③ 結果を表示する。

(1) 下線部①の発言のように pay を計算する式を書きなさい。

〔   〕

(2) 下線部②について，右のプログラムは A さんたちが書いた
プログラムの一部である。空欄に当てはまる文字を書きな
さい。

$$[num = [a, b, c]]$$
pay = 0
for i in range(3):
    pay = ☐ + price[i] * num[i]

〔   〕

(3) 【E さんの班のメモ】の空欄**ア**，**イ**に当てはまる言葉を書きなさい。

ア〔   〕

イ〔   〕

(4) 【E さんの班のメモ】を参考にして，E さんの班に出された課題のプログラムを書きなさい。

(5) I さんの班に出された課題のプログラムを，以下の文を全て使って書きなさい。

「senior = 0」，「adult = 0」，「young = 0」，「if list[i] >= 65:」，「print(" 高齢者は ", senior, " 人 ")」

MY BEST
よくわかる高校情報I問題集

監　修	岡嶋裕史
イラストレーション	FUJIKO, 株式会社ユニックス
編集協力	株式会社ダブルウイング, TKM合同会社
制作協力	株式会社エデュデザイン
データ作成	株式会社四国写研
印刷所	株式会社リーブルテック

MY BEST

よくわかる
高校情報Ⅰ問題集
解答・解説

Informatics Ⅰ

本体と軽くのりづけされているので，はがしてお使いください。

Gakken

第1章　情報技術が築く社会

| 1 |　情報の特性と社会の発展

STEP 2　基礎チェック問題　　p.13

解答 ❶ データ　❷ 情報　❸ 知識　❹ 残存性
❺ 複製性　❻ 伝播性　❼ 狩猟社会　❽ 農耕社会
❾ 工業社会　❿（第 1 次）産業革命　⓫ 情報社会
⓬ 新しい情報社会　⓭ Society5.0
⓮ 第 4 次産業革命

STEP 3　単元マスター問題　　p.14〜15

1　**解答** (1)ア　知識　イ　データ　(2)　ア
(3)　残存性　例：一度広まったデマは完全に消える
　　ことはない。
　　伝播性　例：一度世に出た情報はデマであっても
　　あっという間に広がってしまう。

解説 (2)　情報は，具体的な形があるものではな
く，物理的な「もの」とは異なった特性をもつ。
(3)　残存性は，情報は相手に伝えてもなくならない
　　という情報の特性を示している。また，伝播性
　　は，情報がインターネットやメディアを通じて，
　　あっという間に伝わっていくことを示している。
　　解答例ではデマについて述べたが，コンピュータ
　　ウイルスに関連づけて解答してもよい。

2　**解答** (1)ア　狩猟　イ　農耕
ウ　（第 1 次）産業革命　エ　工業　オ　5.0
(2)　情報社会　(3)　IoT

解説 (1)オ　ロボットや人工知能などの技術を活
　　用し，経済の発展や社会問題の解決を図る新しい
　　情報社会の姿として，国が提唱している。
(2)　20 世紀なかばに開発されたコンピュータの登
　　場以降，テレビやインターネットなどのさまざま
　　なメディアが発展してきた。これらの技術によっ
　　て，情報が一度に広く伝達できるようになった。
　　さらにスマートフォンの普及により，個人の生活
　　様式も大きく変容した。
(3)　新しい情報社会（Society5.0）では，人工知能

やロボット，IoT，ビックデータ解析，データサ
イエンス等の高度な情報技術が基盤となる。

3　**解答** 残存性　オ　複製性　ウ，エ
伝播性　ア，イ

解説 複製性は，情報を簡単にコピーできるとい
う情報の特性の 1 つである。

| 2 |　創作物の利用ルール

STEP 2　基礎チェック問題　　p.17

解答 ❶ 知的財産　❷ 知的財産権
❸ 産業財産権　❹ 著作権　❺ 著作者人格権
❻ 著作権（財産権）　❼ 個人情報　❽ 基本四情報
❾ 個人識別符号　❿ 要配慮個人情報　⓫ ジオタグ
⓬ 個人情報保護法　⓭ プライバシー　⓮ 肖像権
⓯ パブリシティ権

STEP 3　単元マスター問題　　p.18〜19

1　**解答** (1)ア　知的財産権　イ　無方式主義
ウ　方式主義　(2)　イ　(3)法律　著作権法　具体
例　例：引用のルールに則り，レポートに文章を
引用する。

解説 (2)イ　商品名やロゴなどの商品を識別する
マークを保護するための権利は，商標権である。
意匠権は，商品の形状や色などのデザインを保護
する権利である。
エ　産業財産権に基づく保護期間は権利の種類に
よって異なるが，特許権は出願から 20 年，意匠
権は出願から 25 年である。
(3)　著作権の例外的規定により，著作者の承諾を得
なくとも，適切な引用や学校など教育機関におけ
る授業利用，図書館等における私的利用を目的と
した複製（コピー）などの行為が認められている。

2　**解答** (1)　ウ　(2)　例：投稿する写真や動
画に，ＧＰＳによる位置情報や日時，撮影者の氏
名などの*ジオタグ*が含まれていないかどうか確認
する。

(3)**ア** ×　　**イ** ○

解説 (1)　基本四情報とは，行政が個人を特定するために必要となる情報。氏名，性別，住所，生年月日を指す。マイナンバーは，単独で個人が特定される，個人識別符号に含まれる。

(2)　ジオタグとは，スマートフォンなどで撮影した写真や動画に埋め込まれた，GPSによる位置情報。ジオタグを消さずにSNSに投稿すると，自宅や学校，個人を特定される危険性がある。

(3)**ア**　パスポート番号は，マイナンバーと同様に単独で個人が特定される個人識別符号である。

イ　要配慮個人情報には，他にも本人の信条，病歴などが含まれ，流出によって不当な差別や不利益が生じないように，取り扱いには特に注意が必要である。

3　**解答** (1)**ア**　個人情報保護法　**イ**　肖像権
ウ　プライバシー　**エ**　パブリシティ権

(2)　個人情報　(3)下線部②　架空請求
下線部③　フィッシング（詐欺）

解説 (2)　名前や住所，性別以外にも，学校名や血液型，病歴など様々な情報が個人情報に含まれる。SNS上の複数の投稿やフォロワーをたどることにより，個人情報が特定されるケースもあるため，SNSの利用には注意が必要である。

(3)　架空請求とは，身に覚えのない支払いを要求する詐欺のことである。実在する事業者の名を偽って被害者の不安をあおる事例も存在する。また，フィッシング（詐欺）とは，悪質な業者がカード会社を装って，個人にカード番号や個人情報を入力させる詐欺のことである。

｜ 3 ｜　情報技術がもたらす未来

STEP 2　基礎チェック問題　p.21

解答 ❶ 情報システム　❷ POSシステム
❸ 電子マネー　❹ 電子決済　❺ 人工知能（AI）
❻ IoT　❼ ビッグデータ　❽ 仮想現実（VR）
❾ 拡張現実（AR）　❿ テクノストレス
⓫ VDT障害
⓬ インターネット依存（ネット依存）
⓭ デジタルデバイド（情報格差）

STEP 3　単元マスター問題　p.22〜23

1　**解答** (1)**ア**　電子マネー　**イ**　電子決済
ウ　人工知能（AI）　**エ**　IoT

(2)　POSシステム　(3)　ビッグデータ

解説 (1)**ア**　プリペイドカードも電子マネーの一種である。電子マネーには，ICカードのような事前にチャージするプリペイド型と，クレジットカードのような後で支払いをするポストペイ型がある。

(1)**ウ，エ**　家庭内の家電や家具を，IoT技術を使って相互に通信させることで，AIを搭載したスピーカーに命令を出すと，手を触れずに好きな家電や家具を動かすことができる。

(2)　POSシステムでは，いつ，どこで，だれが，どの商品を購入したかという情報を記録する。その情報を大量に収集することで，コンビニエンスストアやスーパーでの商品の補充などに活用している。

2　**解答** (1)　テクノストレス

(2)　インターネット依存（ネット依存）

(3)　例：情報技術を活用できる人とできない人とのあいだに存在する，入手できる情報や発言の機会の格差のこと。

解説 (1)　テクノストレスは肉体的，精神的どちらのストレスも含んでいる。

(3)　デジタルデバイド（情報格差）は，国内にも世界的にも存在する。世界で見れば，インターネッ

ト普及率が50%以下の国々も多く存在し，国内の個人同士の格差だけでなく，国どうしの格差についても問題になっている。

3 【解答】A　ウ　B　イ　C　ア　D　エ

【解説】**ア**　IoT技術を使って家庭内の家具や家電をインターネットでつないで通信させれば，外出先からでも家電を動かすことができる。

イ　AR技術を使うことで，スマートフォンのカメラ内で家具を再現し，もしここに家具がおいてあったらどうなるか，という架空の状況を再現することができる。

ウ　VRゴーグルをつけると，仮想空間を体験することができる。仮想空間では，見えているすべてのものが架空のものである。

エ　スマートフォンにもAIが搭載されており，音声検索などに用いられている。

定期テスト対策問題① p.24〜25

1 【解答】(1)①　データ　③　情報社会
(2)第1次　ア　第2次　エ　(3)　Society5.0

【解説】(2)　**イ**は農耕社会のこと，**ウ**は工業社会のことをそれぞれ指す。

2 【解答】(1)①　無方式主義　(2)　エ
(3)　肖像権　(4)　例：GPSによる位置情報

【解説】(2)(3)　肖像権は一般の人々も持つ権利であるのに対し，パブリシティ権は著名人が私生活を脅かされないようにする権利である。

3 【解答】(1)①　情報システム　②　電子マネー
(2)　例：スマートフォンでエアコンの電源を入れる
(3)　例：情報機器を長時間使用することで生じる，精神的・肉体的ストレス。

【解説】(2)　他にスマートフォンを使い家の鍵を開けることや，工場の機械にセンサーを取り付けて情報を集め生産の無駄をなくすことなどがある。

探究問題① p.26〜27

1 【解答】(1)　例：個人情報の漏洩
(2)**利点**　例：時間が経ってもその情報を確認することができる。

欠点　例：消したい情報をなかなか消すことができない。

(3)　例：スマートフォンやパソコンなどの情報機器を持っていない子どもや，情報機器の使い方がわからない高齢者などとの間に格差が生じると考えられる。

(4)　**イ**　(5)　例：情報社会は情報のやり取りが人間の営みの中心となった社会であり，これより前の社会と比べて人々は日常的に非常に多くの情報と接している。そのため，他の人に知られたくない個人的な情報も社会にさらされる危険性が高まっている。情報は拡散しやすく消えにくい性質があるため，簡単に情報を発信できる情報社会においては，発信しようとしている情報が誰かのプライバシーを侵害していないかを注意深く気をつけなければならない。

【解説】(1)　何かを規制したりなくしたりする目的で法律がつくられたと考えられるので，この間の期間には個人情報の取り扱いを徹底しなければならないことが起きたと考えることができる。

(3)　デジタルデバイドとは，情報技術を利用できる人とできない人の間で情報の発信や入手に格差が生じてしまうことである。情報技術を利用できる人とできない人が具体的に書かれていればよい。

(4)　レポート内の引用部分に関して，引用の規則にのっとり，文章を引用しなければならない。引用には，引用した元の書籍などの名称を明示することや，引用部分がわかるようにかぎかっこ（「　」）などでくくることなどを守る必要がある。

(5)　解答に必要な要素を整理して解答する。必要な要素は，①情報社会以降とそれより前の社会との違い，②情報や情報社会の特徴，③プライバシーで気をつけなければならない点，の3つである。プライバシーとは何かについても触れるとわかりやすくまとまる。

第2章 情報デザイン

| 1 | メディアとコミュニケーション

STEP 2 基礎チェック問題 p.29

解答 ❶ 記録メディア ❷ 表現メディア
❸ 伝達メディア ❹ ソーシャルメディア
❺ マスメディア ❻ クロスチェック
❼ メディアリテラシー ❽ フェイクニュース
❾ 匿名性 ❿ 記録性 ⓫ プロバイダ
⓬ プロバイダ責任制限法

STEP 3 単元マスター問題 p.30～31

1 **解答** (1)**ア** 表現 **イ** 記録 **ウ** 伝達
(2)① 音楽, 静止画, 図や表, 文字, 動画
② DVD, USB メモリ, ハードディスク, CD

解説 (2) 語群のうち, 解答に当てはまらない
「雑誌, ラジオ, 電話」はすべて伝達メディアに
分類される媒体である。情報の伝達や通信のため
に使われるのが, 伝達メディアである。

2 **解答** (1) マスメディア 例：ある特定の
発信者が不特定多数に向けて情報を発信するメ
ディア ソーシャルメディア 例：誰でも情報を
発信でき, かつ情報を相互に発信・共有できるメ
ディア
(2)**ア** 内容 **イ** 客観的 **ウ** 発信
エ フェイクニュース
(3) 例：メディアで得た情報が信頼に足るものかど
うかを調べるために, 情報源となる複数のメディ
アから得た情報を比較すること。

解説 (1) マスメディアとソーシャルメディアの
特徴として注目すべきところは「発信者が決まっ
ているかどうか」「情報の発信が一方向か, 双方向
か」という点である。マスメディアは情報の発信
者が特定の人や媒体（テレビ・新聞など）なのに
対し, ソーシャルメディアは誰でも情報を発信で
きるという特徴がある。また, ソーシャルメディ
アは相互に情報の発信や返答といったやりとりが

できるという特徴がある。これらの違いをわかり
やすく説明するとよい。
(3) クロスチェックの大きな特徴は「複数の情報を
比較する」という点である。そのため,「1 つの
情報を別の情報と照らし合わせる」「得た情報を別
サイトの情報と比較する」などといった解答も正
答である。

3 **解答** (1)① 匿名性 ② 記録性
(2) プロバイダ責任制限法
(3)**A** 開示請求 **B** プロバイダ

解説 (1)① 「ニックネーム」「名前や年齢もわから
ない」といった点が解答のヒントである。個人を
特定するような情報を公開せずにやり取りできる
匿名性が, インターネットを介したコミュニケー
ションの特徴の 1 つである。
②「やり取りをした情報の履歴が残る」という点
から, 記録性の話をしているとわかる。インター
ネットにおける情報発信は, 常に記録が残る。
(2) 下線部③が含まれる台詞の次のただしさんの台
詞にある「あの法律は SNS やブログで誹謗中傷
に遭ってしまったときに助けになる」「書き込んだ
相手の情報を請求できる」が, プロバイダ責任制
限法の説明となっている。

| 2 | 情報デザイン

STEP 2 基礎チェック問題 p.33

解答 ❶ 情報デザイン ❷ 抽象化 ❸ 可視化
❹ 構造化 ❺ ユーザインタフェース（UI）
❻ アクセシビリティ
❼ 代替テキスト（代替文字列）
❽ ユーザビリティ ❾ 音声読み上げソフトウェア
❿ ユニバーサルデザイン
⓫ ユニバーサルデザインフォント（UD フォント）
⓬ バリアフリー

1 **解答** 抽象化　**イ**　可視化　**ウ**
構造化　**ア**

解説 記事をまとまりごとに整理し，階層構造で表しているので**ア**は構造化。**イ**は地図を簡単な図形で表現しており，余分な情報を取り除いて必要な情報のみで表現しているので抽象化。**ウ**はデータが視覚的にわかりやすいように表現しているので可視化。

2 **解答** (1) 例：駅からカフェまでの簡単な地図に経路を書き込み，カフェの場所に目立つ記号を置く。

(2)**ア**　ユーザインタフェース（UI）
　　イ　ユーザビリティ
　　ウ　代替テキスト（代替文字列）

(3)　ユニバーサルデザイン

解説 (1) 余分な情報を取り除いて，駅からカフェまで行くのに必要な情報を抽象的に表現する方法を書く。

3 **解答** (1) 例：人がコンピュータを操作する際に実際に見たり触れたりする部分。

(2)　**ウ**　(3)　アクセシビリティ

(4)　ユーザビリティ

(5)　例：「映画座席予約」の文字を重ねない。 映画のタイトルの色を目立つ色にする。 時間を順番に並び替える。

解説 (2) 画像を見ることができない人にも画像の内容が伝わるような文章が好ましい。**ア**の文章では不十分であり，**イ**は画像の重要ではない部分を文章にしているので不適。

(5) 他にも「時間の表記を 12 時間制と 24 時間制で揃える」，「詳細情報とチケットの画像を入れ替える」などがある。

4 **解答** **ア，イ，オ**

解説 **ア**は視覚に頼らずにシャンプーと判別することができるというユニバーサルデザインであ

る。**イ**は車椅子の人でも開けやすいというユニバーサルデザインである。**ウ**は子どもや背の低い人にとって使いにくいデザインである。**エ**は左利きの人にとって使いにくいデザインである。**オ**は言語に頼らずに情報を伝えることができるというユニバーサルデザインである。

定期テスト対策問題②　p.36〜37

1 **解答** (1)a　表現メディア　**b**　記録メディア
　　c　伝達メディア

(2)　メディアリテラシー

解説 (2) メディアリテラシーにはフェイクニュースの確認やクロスチェックの実行も関わる。

2 **解答** (1)**1対1** 例：おしゃべり
　　多対多 例：ディスカッション

(2)　例：だれでも気軽に情報発信が行える

(3)　例：通信サービスを提供している事業者

解説 (3) プロバイダとはインターネットへ接続する通信サービスを提供している事業者のことである。

3 **解答** (1)a　構造化　**b**　抽象化

(2)　ユニバーサルデザイン　(3)　バリアフリー

(4)　**イ**

解説 (1) 構造化，抽象化の他に情報を視覚的に表現する可視化という方法もある

(2) ユニバーサルデザインフォントやシャンプーボトルの側面やふたの突起などがこれに含まれる。

探究問題②　p.38〜39

1 **解答** (1) **ウ**　(2) 例：ソーシャルメディアは誰でも情報を相互に発信・共有できるメディアのことで，マスメディアはある特定の発信者が不特定多数に向けて情報を発信するメディアのことであり，特定の発信者が発信する情報よりも，不特定多数の人が発信する情報の方が信憑性が低くなってしまうと考えられるので，ソーシャルメ

ディアの方が，マスメディアよりもフェイク
ニュースが発生しやすいと考えられる。

(3) **a** 可視化　**b** 抽象化　**c** 構造化

(4) 例：アクセシビリティを向上させることで，誰
でも情報にアクセスができるようになり，情報を
入手できないことで生まれる格差が少なくなる。

解説 (2) マスメディアは情報の発信者が一方行
的に情報を発信するのに対し，ソーシャルメディ
アは相互に情報を発信することができる。2つの
発信者の違いに注目し，よりフェイクニュースが
発生しやすいのはどちらであるかを論理的に書け
ばよい。

(4) アクセシビリティは幅広い人々にとっての情報
やサービスへのアクセスのしやすさのことであ
る。これにより情報格差が少なくなっていくと考
えることができる。

｜ 1 ｜ ソフトウェアとハードウェア

STEP 2 基礎チェック問題 p.41

解答 ❶ 入力装置　❷ 記憶装置

❸ 主記憶装置（メインメモリ）

❹ 補助記憶装置（ストレージ）　❺ 演算装置

❻ 出力装置　❼ 制御装置　❽ ハードウェア

❾ 中央処理装置（CPU）　❿ ソフトウェア

⓫ プログラム

⓬ 応用ソフトウェア（アプリケーションソフト
ウェア）

⓭ 基本ソフトウェア

⓮ OS（オペレーティングシステム）

STEP 3 単元マスター問題 p.42～43

1 **解答** (1)**ア** 中央処理装置（CPU）

(2)**イ** 入力装置　**ウ** 出力装置

(3)機器の名称　周辺機器　場所　インタフェース

(4)**エ** 主記憶　**オ** 補助記憶

　エ 装置　例：演算装置と直接やりとりし，
データを一時的に記憶する。

　オ 装置　例：長期的・日常的にデータを保
存する。

解説 (2) 外部から命令を受ける装置が入力装
置，外部に結果を出す装置が出力装置である。入
力装置，出力装置はどちらも制御装置，主記憶装
置と命令やデータのやりとりをする。

(3) 主記憶装置（メインメモリ）と補助記憶装置
（ストレージ）はどちらも記憶装置だが，それぞ
れ特徴が異なっている。主記憶装置は一時的な記
憶装置であるのに対し，補助記憶装置は長期的な
記憶装置である。また主記憶装置は，演算装置や
入力装置，出力装置と直接やりとりをすることも
特徴のひとつである。

2 **解答** (1)**ア** プログラム

イ ハードウェア

ウ 応用ソフトウェア（アプリケーションソフトウェア）

エ OS（オペレーティングシステム）

(2) 例：ハードウェアはコンピュータを動かすための物理的な装置だが、ソフトウェアはハードウェア上に存在するデータである。

解説 (1)**ア** ソフトウェアはプログラムから構成されている。

ウ，エ ソフトウェアは応用ソフトウェア（アプリケーションソフトウェア）と、基本ソフトウェアの二種類に分けられる。OSは基本ソフトウェアの一種である。

3 **解答** (1)入力装置 キーボード
出力装置 スピーカー、画面（ディスプレイ）

(2) ソフトウェアの種類 応用ソフトウェア（アプリケーションソフトウェア）

(3) 演算装置 (4) 制御装置

解説 (1) 入力装置の例はキーボードやマウス、タッチパネルなどである。出力装置の例はスピーカーやディスプレイ、プリンターなどである。

(3)(4) 演算装置は制御装置からの命令を実際に処理・計算する装置である。

｜2｜ 2進法

STEP 2 基礎チェック問題 p.45

解答 ❶ アナログデータ ❷ デジタルデータ
❸ 2進法 ❹ 2進数 ❺ ビット（bit） ❻ バイト
❼ 1メガバイト ❽ $1001_{(2)}$ ❾ $1101_{(2)}$ ❿ 42
⓫ $2F0A_{(16)}$ ⓬ 文字コード ⓭ フォント
⓮ 文字化け

STEP 3 単元マスター問題 p.46〜47

1 **解答** (1)**ア** デジタル **イ** アナログ
ウ アナログ **エ** デジタル

(2) 例：著作権を侵害する不正な複製が行われてしまう点。

解説 (2) ズレが生じることなく送受信や複製、編集や修正ができるというデジタルデータの利点が、悪用されてしまったり、情報漏洩に繋がったりすることを記述できればよい。

2 **解答** アナログデータ **ア，ウ，エ**
デジタルデータ **イ**

解説 0と1で表現されるものはデジタル、区切りがなく連続的に表現されるものはアナログである。

3 **解答** (1) $1000_{(2)}$ (2) $11001_{(2)}$
(3) $100001111_{(2)}$

解説 (1)
```
     100
  +  100
  -------
    1000
```
(2)
```
    1111
  + 1010
  ------
   11001
```
(3)
```
   11110000
  +   11111
  ----------
  100001111
```

4 **解答** (1)10進数 5 16進数 5
(2)10進数 15 16進数 F
(3)10進数 170 16進数 AA

解説 (1) $1 \times 2^2 + 0 \times 2^1 + 1 \times 2^0 = 4 + 0 + 1 = 5$
(2) $1 \times 2^3 + 1 \times 2^2 + 1 \times 2^1 + 1 \times 2^0 = 8 + 4 + 2 + 1 = 15$
(3) $1 \times 2^7 + 0 \times 2^6 + 1 \times 2^5 + 0 \times 2^4 + 1 \times 2^3 + 0 \times 2^2 + 1 \times 2^1 + 0 \times 2^0 = 128 + 32 + 8 + 2 = 170$
$1010_{(2)} = 1 \times 2^3 + 0 \times 2^2 + 1 \times 2^1 + 0 \times 2^0 = 8 + 2 = 10_{(10)}$
$= A_{(16)}$

5 **解答** (1) $110010_{(2)}$ (2) $1001011_{(2)}$
(3) $1100100_{(2)}$ (4) $10001111_{(2)}$
(5) $1101000101011_{(2)}$ (6)$1010101111001101_{(2)}$

解説 (1)(2)(3) 2で割り算していったあまりを並べる。
(4)(5)(6) 1桁ずつ10進数に変換してから、2で割り算していったあまりを並べて2進数に変換する。

6 **解答** (1) 文字コード (2) $42414C4C_{(16)}$
(3) $1000101_{(2)}$ (4) **イ**

解説 (2) 表を参照して，16進数の文字コードを並べる。

(3) E の ASCII コードは 45 なので，16 進数の 45 を 1 桁ずつ 2 進数に変換する。

(4) 文字化けは，絵文字のみに起こったり，ウイルスが原因で起こったりするのではなく，文字コードが異なることが原因で起こる。

| 3 | 論理回路

STEP 2 基礎チェック問題　p.49

解答 ❶ 論理演算　❷ 論理回路　❸ AND 回路
❹ OR 回路　❺ NOT 回路　❻ 真理値表　❼ 1
❽ 0　❾ 0　❿ 0　⓫ 1
⓬ 半加算回路（半加算器）
⓭ 全加算回路（全加算器）

STEP 3 単元マスター問題　p.50〜51

1 **解答** ア　論理演算　イ　論理回路

解説 コンピュータの頭脳ともいえる CPU は論理回路を組み合わせて設計されており，単純な計算を高速で繰り返すことによって，複雑な処理を可能にしている。

2 **解答** ①　NOT 回路　②　○　③　○
④　1つ　⑤　半加算

解説 ④　AND 回路は 2 つの入力と 1 つの出力をもち，2 つの入力が両方とも 1 のときだけ 1 が出力される論理回路である。

⑤　半加算回路では，2 進法の 1 桁どうしの足し算しか行うことができない。一方，半加算回路を組み合わせてできた全加算回路では桁上げができる。

3 **解答** (1)ア　点灯　イ　消灯
(2)

---

(3)

0	0	0
1	0	1
0	1	1
1	1	1

解説 (1)　2 つのスイッチが並列につながれているような回路では，どちらか一方でもスイッチがオンになっていれば回路に電流が流れ，ランプが点灯する。回路に電流が流れないのは，両方のスイッチがオフになっているときのみである。

| 4 | 音や画像のデジタル化

STEP 2 基礎チェック問題　p.53

解答 ❶ 周波数　❷ ヘルツ　❸ 周期
❹ 標本化（サンプリング）　❺ 符号化
❻ PCM方式　❼ 量子化ビット数　❽ 加法混色
❾ マゼンタ　❿ 黒　⓫ 画素　⓬ 高いとき
⓭ 階調　⓮ フルカラー　⓯ ベクタ形式

STEP 3 単元マスター問題　p.54〜55

1 **解答** (1)ア　波　イ　アナログデータ
(2)　イ
(3)アの数　周波数　単位　ヘルツ

解説 (2)　音は連続した空気の振動が波として伝わる現象である。

(3)　1 秒間に含まれる波の数を周波数といい，単位はヘルツ（Hz）を用いる。また，1 つの波が伝わる時間を周期という。

2 **解答** (1)ア　PCM 方式
イ　アナログデータ　ウ　標本化（サンプリング）
エ　標本化周期　オ　量子化　カ　111
(2)　できない
(3)標本化幅　小さくする　データ量　大きくなる

解説 (1)ウ，エ　標本化のことをサンプリングともいう。標本化周期はサンプリング周期でも正答。

(2)　スマートフォンが拾うことのできる周波数は人間の声に合わせて 300〜3500 Hz とされているた

8

め，それよりも周波数の大きい鈴虫の鳴き声は従来のスマートフォンでは拾うことができない。

(3) 標本化幅（サンプリング幅）は標本化を行う時間間隔のことなので幅を小さくする，すなわち時間間隔を小さくして細かく標本化を行えば実際に近い波形を再現でき，実際の音声に近づけることができる。しかし，データ量は大きくなる。

3 解答 ラスタ形式　ア，ウ，エ
ベクタ形式　イ，オ
解説 ラスタ形式は画像をドットの集まりで表しているため，ベクタ形式と異なり，画像を拡大するとギザギザとしたジャギーが現れてしまう。

定期テスト対策問題③　p.56〜57

1 解答 (1) ハードウェア　(2) ソフトウェア
(3)① 中央処理装置　② CPU
(4)B　制御装置　C　演算装置
(5)① E　② D　③ F　④ E
解説 (3), (4) 中央処理装置は演算装置と制御装置をまとめた呼び方。

2 解答 (1) 2進法　(2) ビット
(3) 文字コード　(4) 11100011(2)
解説 (4) それぞれの桁を10進法にすると，Eは14，3は3。これを2進法にすると14は1110，3は0011になる。

3 解答 (1) 論理演算
(2) OR回路（論理和回路）　(3) ア
解説 (3) ウはOR回路の説明。NOT回路は1つの入力と1つの出力をもち，入力した値と逆の値を出力する。

4 解答 (1) 周波数　(2) PCM方式　(3) エ
(4) ラスタ形式
解説 (4) ラスタ形式に対し，点の座標や線の角度などのデータをもとに表す形式をベクタ形式という。

探究問題③　p.58〜59

1 解答 (1) 例：メリットとしては修正や複製が容易である。デメリットとしては簡単に複製ができるため，著作権を侵害しやすい。
(2) 10584000B
(3)**1**…110　**2**…10　**3**…100　**4**…101　**5**…111
　6…110
(4) ⑥ 例：サンプリング周期を短くし，量子化の段階を細かくする
⑦ 例：データ量が大きくなる
解説 (1) デジタルのメリットとしては他にノイズを修正しやすい，コピーを繰り返しても劣化しない，配信が容易などがあげられる。デメリットとしては，他にデジタル化するときに削られる情報がわずかながらもあることがあげられる。
(2) 8ビット＝1Bである。
$44100 \times 16 \times 60 \times 2 \div 8 = 10584000$B
(4) ハイレゾ音源は，一般に1秒間に96000回サンプリングし，24ビットの数に量子化している。そのため，データ量がとても大きくなる。

第4章 ネットワークとセキュリティ

| 1 | ネットワーク

STEP 2 基礎チェック問題　　p.61

解答 ❶ LAN ❷ WAN

❸ クライアントサーバシステム ❹ Wi-Fi

❺ ルータ ❻ 回線交換方式 ❼ パケット交換方式

❽ ヘッダ ❾ プロトコル ❿ IP

⓫ グローバル IP アドレス

⓬ プライベート IP アドレス ⓭ ルーティング

STEP 3 単元マスター問題　　p.62〜63

1 **解答** (1)ア　LAN　イ　WAN

ウ　プロバイダ（ISP）

(2)　プロトコル　(3)　エ

解説 (2)　情報通信における約束事のことをプロトコルといい，その中に IP や TCP がある。

(3)　ア〜ウはパケット交換方式の特徴であり，データの小さな単位のことをパケット，送り状の役割を果たす部分のことをヘッダという。

2 **解答** (1)ア　Wi-Fi　イ　IP アドレス

ウ　グローバル IP アドレス

(2)　プライベート IP アドレス　(3)　ルーティング

解説 (1)ウ　インターネット上に同じ IP アドレスが存在しないことをグローバル IP アドレスという。

(2)　世界中のコンピュータに個別のアドレスを割り当てると数が足りなくなるため，LAN 内ではプライベート IP アドレスが使われている。

(3)　インターネットに接続する機器に割り当てられた IP アドレスを用いてルータが最適な経路選択を行う仕組みのことをルーティングという。

3 **解答** イ，ウ

解説 パケット交換方式はデータをパケットと呼ばれる小さな単位に分割し，同じ回線に混在させて流すことのできる方式。そのため電話に用いら

れる回線交換方式とは異なり 3 人以上でも同時に使うことが可能である。**オ**は LAN の説明。

| 2 | Webページ①

STEP 2 基礎チェック問題　　p.65

解答 ❶ Web ブラウザ ❷ サーバ

❸ Web サーバ ❹ クライアント

❺ クライアントサーバシステム ❻ データの提供

❼ URL ❽ ドメイン名 ❾ 教育機関

❿ 大学・学校 ⓫ アメリカ

⓬ DNS（ドメインネームシステム）

⓭ DNS サーバ

STEP 3 単元マスター問題　　p.66〜67

1 **解答** (1)ア　Web ブラウザ　イ　URL

ウ　Web サーバ

(2)**A**　例：ネットワークに繋がっている他のコンピュータに対して様々な機能・サービスなどを提供するコンピュータ

B　例：提供者であるサーバからサービスの提供を受ける側のコンピュータ

(3)　クライアントサーバシステム

解説 (1)**ウ**　この他にも，メールサーバ，DNSサーバ，プロキシサーバなど様々な種類のサーバがある。

(2)　「サーバ＝提供者」「クライアント＝依頼者」という元の言葉の意味から考えるとよい。

(3)　情報を提供するサーバが，情報を要求するクライアントに応じる形で成り立つ関係性である。このシステムは，1 つのコンピュータに複数の作業を行わせるのではなく，コンピュータごとに役割分担をすることで，情報や作業の処理の負荷を分散させることができる。

2 **解答** (1)ア　URL　イ　ドメイン名

ウ　パス名

(2)　DNS（ドメインネームシステム）

解説 (2)　IP アドレスは単調な数字の並びであ

り，アドレスを覚えたり使ったりすることが難しい。そのため，人間が覚えやすいように，変換可能な名前としての「ドメイン名」を設定し，IPアドレスに対応させて使うことになったというのがこの仕組みである。この働きを担うサーバをDNS サーバという。

3 **解答** **ア** 日本 **イ** 政府機関
ウ 企業 **エ** ブラジル **オ** 大学・学校
カ 中国

ドメイン名に含まれる英字表現が，対応する英単語を省略して示したものになっている。対応する単語は以下の通り。

ア「Japan」 **イ**「government」 **ウ**「commercial」
エ「Brazil」 **オ**「academic」 **カ**「China」

| 3 | Webページ②

STEP 2 基礎チェック問題 p.69

解答 ❶ HTML ❷ タグ ❸ 画像 ❹ 本文
❺ CSS ❻ カスケーティングスタイルシート
❼ フォントの大きさ ❽ bps ❾ bits per second
❿ 1000 倍 ⓫ 伝送効率 ⓬ 1000 bps（1 kbps）

STEP 3 単元マスター問題 p.70~71

1 **解答** (1)**ア** HTML
イ リンク（URL） **ウ** 画像 **エ** CSS
オ カスケーティングスタイルシート
(2) タグ
(3)**A** 例：書かれているテキストに傍線をつける
B 例：Web ページの背景の色を指定する

解説 (1)**イ** 「リンク」でも「URL」でも正答。
ウ 「画像」「写真」「イメージ」など，写真を示す語句が答えられていれば正答。
(2) 「タグ」が正答。〈 〉で囲まれているという点が特徴。実際に指示をするときには，「〈body〉〜〈/body〉」のように，開始タグと終了タグを合わせて指示したい内容の前後に付ける。

2 **解答** **ア** HTML，文書の本文

イ CSS，フォントの大きさ
ウ HTML，（表示する）表
エ CSS，背景の色
オ HTML，文書のリンク
カ HTML，（表示する）画像

解説 HTML のタグは〈 〉で囲まれている点が大きな特徴である。また，指示する内容についても，有名なものは頻出であるため合わせて覚えておくとよい。「background ＝背景」のように，英単語の意味から類推して覚えるとよい。

3 **解答** (1)**ア** ビット **イ** 1000
ウ 伝送効率
(2) bps（bits per second）
(3) 例：K，M，G などの接頭辞や単位を揃えること。

解説 (3) 転送時間の計算をする際に気をつけるべき内容としてふさわしいものが書けていれば正答とする。

| 4 | 情報セキュリティ

STEP 2 基礎チェック問題 p.73

解答 ❶ 不正アクセス禁止法 ❷ 機密性
❸ 完全性 ❹ 可用性 ❺ 暗号化 ❻ 復号
❼ 共通鍵暗号方式 ❽ 公開鍵暗号方式
❾ ファイアウォール ❿ マルウェア
⓫ スパイウェア ⓬ ランサムウェア
⓭ ウイルス対策ソフトウェア
⓮ パターンファイル（ウイルス定義ファイル）

STEP 3 単元マスター問題 p.74~75

1 **解答** (1)**ア** フィッシング詐欺
イ ワンクリック詐欺 **ウ** 不正アクセス
(2) 不正アクセス禁止法
(3)機密性 例：アクセス権限を持つ人だけが情報にアクセスできる。
完全性 例：情報の改ざんや破壊が行われない。
可用性 例：情報を使いたいときにいつでもアク

セスできる。

(4) **ア** 知識認証 **イ** 生体認証 **ウ** 所持認証

解説 (2) 不正アクセス禁止法により，アクセス権限のないものが他人のユーザ ID とパスワードを利用して不正にインターネットにアクセスしたり，他人のユーザ ID とパスワードを盗んだり，販売したりする行為は禁止されている。

(3) 情報セキュリティを保持するためには，機密性・完全性・可用性という 3 つの要素を確保する必要がある。この 3 つの要素をもとに，企業などが情報セキュリティ対策の方針をまとめたものを，情報セキュリティポリシーという。

(4) ユーザ ID やパスワード，秘密の質問などが知識認証に，顔や指紋，静脈や虹彩が生体認証に，住所やマイナンバー，カード番号が所持認証にそれぞれ分類される。

2 **解答** (1)**ア** ファイアウォール
イ マルウェア **ウ** ウイルス対策ソフトウェア
エ パターンファイル（ウイルス定義ファイル）
オ ソーシャルエンジニアリング

(2) トロイの木馬 (3) スパイウェア

解説 (2) マルウェアは，その形態によって分類されている。代表例が，コンピュータウイルス，トロイの木馬，ワームである。コンピュータに寄生・感染するものがコンピュータウイルス，単独のプログラムであり，コピーを通じて増殖するものがワームである。

(3) スパイウェアによって，ユーザが気が付かない間に個人情報が盗まれることがある。また，キーボードからの入力を記録するソフトウェアをキーロガーと呼ぶが，これがスパイウェアとして悪用される事例も見られる。

3 **解答** (1) **ウ** (2)**ア** C **イ** A **ウ** D
エ B

メリットとデメリット 例：暗号化と復号で異なる鍵を使うため，不特定多数を相手とする通信に使えるが，情報の処理に時間がかかるというデメリットもある。

解説 (1)**ア** プログラミングの説明である。
イ トロイの木馬の説明である。
エ 構造化の説明である。

(2) 公開鍵暗号方式では，公開鍵と秘密鍵と呼ばれる 2 つの鍵を用いて暗号化と復号を行っている。一方で共通鍵暗号方式では，暗号化と復号で同一の鍵を用いるため仕組みがシンプルだが，鍵が他人に知られないように注意を払う必要がある。この 2 つの方式を組み合わせた，セッション鍵方式（ハイブリット方式）などもある。

定期テスト対策問題④　　p.76〜77

1 **解答** (1) WAN (2) パケット交換方式
(3)仕組み ルーティング (4)装置 ルータ

解説 (2) これに対して電話などを利用している者以外が割り込めない通信方式を回線交換方式という。

2 **解答** (1) サーバ (2) クライアント
(3) URL (4) 日本

解説 (4) このほか，教育機関を示す「ed」や大学・学校を示す「ac」等がある。

3 **解答** (1) HTML (2) CSS
(3) 〈img〉〜〈/img〉 (4) bits per second

解説 (2) 正式名称はカスケーティングスタイルシート。
(3) 本文を指定する場合は〈body〉〜〈/body〉を使う。

4 **解答** (1) 機密性 (2) ファイアウォール
(3) 暗号 (4) **イ** (5) ランサムウェア

解説 (5) この他コンピュータに入り込み情報を流出させるものをスパイウェアといい，これらの総称をマルウェアという。

探究問題④　　　　　　　　p.78～79

1 **解答** (1) ウ

(2) 例：回線交換方式は，回線を独占し，通信中に
ほかの人が割り込めない。そのため，同時に2人
以上で回線を使うことができないことになる。

(3) 例：通信内容が盗聴されることがあるから。

(4) **機密性** 例：アクセス権限をもつ人だけが情報に
アクセスできる。

　完全性 例：情報の改ざんや破壊が行われない。

　可用性 例：情報を使いたいときにいつでもアク
セスできる。

解説 (2) パケット交換方式は，データをパケッ
トという小さな単位に分割し，同じ回線に混在さ
せて流すことができる。そのため，同時に2人以
上で回線を使うことができる。

第5章　問題解決とデータの活用

| 1 |　問題解決

STEP 2　基礎チェック問題　　　　p.81

解答 ❶ 問題　❷ 問題解決　❸ 問題の明確化
❹ 解決案の検討　❺ PDCA サイクル
❻ ブレーンストーミング　❼ KJ法　❽ 質より量
❾ 結合改善　❿ 自由奔放　⓫ 批判厳禁
⓬ マインドマップ　⓭ MECE
⓮ ロジックツリー

STEP 3　単元マスター問題　　p.82～83

1 **解答** ウ　→　ア　→　エ　→　イ
→　オ

解説 問題解決のプロセスは，以下の手順で進
めるとよい。それぞれの選択肢が，どの手順に当
てはまるのかを検討する。①問題の明確化→②情
報の収集→③解決案の検討→④解決案の実行→⑤
振り返り・評価

2 **解答** (1)**ア** ブレーンストーミング
イ 問題　**ウ** KJ法　**エ** マインドマップ
オ MECE

(2) あやさん　(3) ロジックツリー

解説 (1)**オ** MECE（ミーシー）とは，アイデア
の漏れや重複をなくすために，物事を論理的に整
理するという考え方である。これによって効果的
にアイデアを整理することができる。

(2) ブレーンストーミングには以下の4つのルール
が存在する。①批判厳禁　②自由奔放　③質より
量　④結合改善

　問題文中の会話では，あやさんがりくさんの意
見を聞いてすぐに否定している。この発言は，①
批判厳禁，他人の意見を批判しないこと，という
ルールに反している。話し合いでは，誰もが意見
を言いやすい雰囲気を作ることが大切である。

(3) ロジックツリーは，MECEの考え方に基づ
き，アイデアを重要度順に整理する手法である。

3 解答 (1)ア ○ イ × ウ ○
エ × (2) ウ → エ → イ → ア

解説 (1)イ PDCA サイクルの「P」は plan（計画）を指している。

エ PDCA サイクルは，何度も繰り返す中で解決策を改善し，理想と現実のギャップを埋めていく方法である。

(2) P（Plan 計画）→ D（Do 実行）→ C（Check 評価）→ A（Act 改善）という 4 つのステップに，それぞれどの選択肢が当てはまるのか考える。

| 2 | データ分析

STEP 2 基礎チェック問題 p.85

解答 ❶ 分析 ❷ オープンデータ
❸ 質的データ ❹ 量的データ ❺ 欠損値
❻ 異常値 ❼ 外れ値 ❽ 棒グラフ
❾ 積み上げ棒グラフ ❿ 円グラフ
⓫ レーダーチャート ⓬ 折れ線グラフ
⓭ 箱ひげ図 ⓮ 散布図 ⓯ 相関 ⓰ 正 ⓱ 負
⓲ 相関係数 ⓳ −1 以上 1 以下

STEP 3 単元マスター問題 p.86〜87

1 解答 イ
解説 オープンデータとは，営利・非営利目的を問わず誰でも二次利用が可能なルールが適応され，無償で利用でき，機械判読に適しているデータのことを指す。

2 解答 (1) イ → ウ → ア
(2) 質的データ イ，エ 量的データ ア，ウ，オ
(3)

年度	2013	2014	2015	2016	2017	2018	2019	2020	2021	2022
来場人数（人）	3,127	2,871		2,822	2,947	2,943	2,6211	2,817	4,574	3,122
			○				×		△	

解説 (1) データの分析は，収集→整理→分析の順に行う。

(3) 2015 年のデータは抜けているため欠損値，

2019 年のデータは数値の桁が他と異なっており，明らかに入力ミスなどによる異常値であると考えられる。2021 年のデータは，桁などは不自然ではないが，他の値と比べて極端に大きな値であるため，外れ値といえる。

3 解答 (1)ア 散布図 イ 相関係数
ウ 負の相関 エ 少ない (2) A
(3)(i) 棒グラフ (ii) 円グラフ（帯グラフ）
(iii) 箱ひげ図

解説 (1)(2) 相関係数が −1 に近い値のとき，2 つのデータには強い負の相関があるといえる。このとき散布図は右下がりであり，一方の値が大きくなると，他方の値は小さくなる傾向がある。

(3) 人数の比較を目的とするならば棒グラフ，全体に対する割合を可視化するならば円グラフや帯グラフなどを用いると効果的である。データのばらつきや偏りを可視化したいときは箱ひげ図を用いる。

| 3 | データベース

STEP 2 基礎チェック問題 p.89

解答 ❶ 情報システム ❷ POS システム
❸ データベース
❹ データベース管理システム（DBMS）
❺ 整合性の保持 ❻ 機密性の保持
❼ 一貫性の保持
❽ リレーショナルデータベース
❾ 主キー ❿ 複合キー ⓫ 外部キー

STEP 3 単元マスター問題 p.90〜91

1 解答 (1)ア 処理 イ 伝達
ウ 情報システム エ GPS オ ETC
カ POS キ データベース
(2) 階層データベース，ネットワークデータベース，リレーショナルデータベース

解説 (1) アとイは順不同。
(2) データベースのおかげで，Web ブラウザや

Webサーバ自体が膨大なデータを保持する必要がなくなる。

2 解答 (1)ア　データベース

イ　データベース管理　ウ　DBMS

(2)① データの重複・不正な更新を防ぎ、データの質を管理する機能。

② 同じデータに複数人が同時にアクセスしても矛盾が起きないようにする機能。

③ データ改ざんを防ぐため、アクセス権の管理やユーザ認証を行う機能。

(3) 数多くのデータがまとめて管理できる。複数のユーザがデータを同時に利用することができる。

解説 (2)① 「データの重複を防ぐ」「データの不正書き換え・不正更新を防ぐ」といった内容が書かれていれば正答となる。

② 「複数人が同時にアクセスしたとき」がポイント。矛盾が起きないことや、順番にデータが処理されることに触れるとよい。

③ 「アクセス権の管理」「ユーザ認証」のどちらか、もしくは両方が含まれているとよい。

(3)「数多くのデータがまとめて管理できる」「複数のユーザが同時にアクセスできる」のどちらかが書かれていれば正答となる。

3 解答 (1)ア　テーブル

イ　リレーショナル　ウ　関係　エ　重複

(2) 主キー、複合キー、外部キー

(3)② 主キー　③ 外部キー　④ 複合キー

(4) 下線部② 本の請求番号

下線部④ 本の名前＋本の作者名

解説 (4) 模範解答以外の解答でも、「図書館の蔵書」に関する事項であり、②は「それ1つで特定の蔵書を指定できる要素」④は「2つの要素を組み合わせて特定の蔵書を指定できる要素」が示されていれば正答となる。たとえば、本の作者名は著者が複数の本を執筆していた場合、それだけで特定の蔵書を指定できないため、主キーではない。

｜ 4 ｜　モデル化

STEP 2　基礎チェック問題　p.93

解答 ❶ モデル　❷ モデル化

❸ シミュレーション　❹ モンテカルロ法

❺ 物理モデル　❻ 実物モデル　❼ 拡大モデル

❽ 縮小モデル　❾ 論理モデル　❿ 図的モデル

⓫ 数式モデル　⓬ 静的モデル　⓭ 動的モデル

⓮ 確定的モデル　⓯ 確率的モデル

STEP 3　単元マスター問題　p.94〜95

1 解答 (1)ア　物理モデル　イ　実物モデル

(2) 例：作成したモデルを使って実際に起きる可能性があることを予測（シミュレーション）し、問題解決に役立てるため。

(3) 例：モデルを活用することで、コストや時間がかかることや、危険が伴うことを再現しやすい。

(4) 例：最初にモデル化の目的を定め、目的に必要のない要素を省略すること。

解説 (2)(3) モデル化は問題解決の手段として考えられている。モデルを使うと、実際に試すとどうなるか知りたいが、実際に試すことが難しいことについてシミュレーションすることができる。また、その他にも、モデルを使うことで説明が容易になるという目的がある。

(4) モデル化をする際には、モデルで再現したい特徴を抽出し、それ以外の要素は省略する。モデルで再現したい特徴は、目的に応じて変わる。

2 解答 (1) 動的モデル

(2) 拡大モデル（物理モデル）

(3) 図的モデル、静的モデル

(4) 数式モデル　(5) 確率的モデル

解説 (1) 時間に応じて変化する走行距離のモデル化なので、動的モデルが適切である。

(3) 館内図を作るときには図を使って示すとわかりやすい。また、館内の構造は基本的に変化しないので、静的モデルでもある。

(5) 自動販売機で「あたり」が出る確率は常に一定

である。次に「あたり」が出るかどうかを予測することはできないので，不規則な事象である。

3 **解答** (1)さいころ　確率的モデル
地球儀　縮小モデル（物理モデル）
路線図　静的モデル（図的モデル）
プラモデル　縮小モデル（物理モデル）
砂時計　動的モデル（確定的モデル）

(2) 路線図

(3) モデルに関係するもの　〔 例：キャラクターのぬいぐるみ 〕
関係するモデルの種類　〔 例：物理モデル 〕

解説 (1)路線図：路線は基本的に変化しないため，静的モデルである。また，路線図はその名の通り図で表されるので，図的モデルともいえる。
砂時計：砂時計は時間ごとに規則的な変化をするので，動的モデル，あるいは確定的モデルといえる。

(3) 解答例以外にも，身の回りでモデルに関係するものと，そのモデルの種類が適切であれば正答とする。

定期テスト対策問題⑤　p.96〜97

1 **解答** **ア** 問題　**イ** ブレーンストーミング
ウ KJ法　**エ** マインドマップ

2 **解答** (1)(i) オープンデータ　(ii) **イ**

(2) 外れ値

(3)(i) 例：折れ線グラフ　(ii) 散布図　(iii) **ウ**

解説 (3)(i) 売上の推移は，変化を表現できる折れ線グラフや棒グラフにして表すと良い。

(iii) **図1**は，データの点が右上がりになっているので，強い正の相関があり，正の相関が強くなると相関係数が1に近づくので，0.8が正しい。

3 **解答** (1) 学籍番号　(2) 外部キー

(3) 美化委員

解説 (1) 名前は重複する可能性があるので，学籍番号を主キーとする。学籍番号と名前を組み合わせて複合キーとしても良い。

---

(2) 委員会IDはテーブル2の主キーとなっており，それぞれのIDに対応する委員会名が紐づいている。こうすることで，委員会名が変わった際に，テーブル1で全生徒のデータを書き換える必要がなくなる。

4 **解答** **ア** モデル　**イ** モデル化
ウ 物理モデル　**エ** 論理モデル
オ 静的モデル　**カ** 動的モデル

探究問題⑤　p.98〜99

1 **解答** (1)**ア** 問題　**イ** 外れ値

(2) **イ，ウ，ア**

(3) 例：数学の勉強を毎日2時間する。

(4) **ウ**　(5) 79点　(6) **ウ**

解説 (3) 点数を伸ばすことに繋がると考えられる案であれば良い。

(5) 他のテストの満点は，学年末テストの満点の半分なので，学年末テストのAさんの点数を半分にした点数を使用する。

(6) テストの点数の推移が見られるグラフにしたいので，折れ線グラフにして表すのが良い。

2 **解答** (1) 保持する性質：例：整合性
具体的な機能：例：データの重複や不正な更新を防ぎ，データの質を管理する機能

(2) 担当業務

解説 (1) 他に，共有したデータに複数人が同時にアクセス・操作をしても矛盾が起きないようにする機能（一貫性の保持）や，機密性を保持するデータの改ざんを防ぐために，データへのアクセス権限を管理したり，ユーザ認証を行ったりする機能（機密性の保持）がある。

(2) 社員番号，名前，担当業務の中で，重複して割り当てられる項目は担当業務のみなので，担当業務を外部キーにして，一括に管理ができるようにするのが良い。

第6章 アルゴリズムとプログラミング

|1| アルゴリズムとプログラミングの基本

STEP 2　基礎チェック問題　p.101

解答 ❶ アルゴリズム　❷ フローチャート
❸ 順次構造　❹ 分岐構造　❺ 反復構造
❻ プログラミング　❼ プログラミング言語
❽ プログラム　❾ 機械語（マシン語）
❿ コンパイラ　⓫ インタプリタ　⓬ 変数
⓭ 変数の宣言　⓮ 代入

STEP 3　単元マスター問題　p.102～103

1 **解答** ①ウ　②ア　③イ
解説 繰り返し開始の記号には，繰り返しの条件
が入る。また，もう一度テストを受けたあとにテ
ストの点数の値を更新することによって，ループ
開始時に比較されるテストの点数も更新される。

2 **解答** ア　目的の本が図書館にある
イ　図書館で借りる　ウ　本屋で買う
解説 アの記号は条件による分岐を意味するの
で，分岐の内容である「目的の本が図書館にあ
る」という文章が入る。

3 **解答** (1)ア　順次　イ　分岐　ウ　反復
(2)

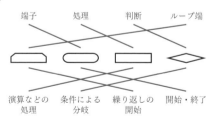

解説 (1)順番に処理を行う構造は順次構造，条件
を満たしているかそうでないかによって処理が分
岐する構造は分岐構造，条件を満たしている間，
同じ処理を繰り返す構造を反復構造という。

4 **解答** a＋b＝9

解説 変数aに6，変数bに3を代入し，'a+b='
はそのまま表示され，「print('a+b=',」の後のa
＋b は 6＋3 の計算の結果が表示される。

5 **解答** (1)　変数　(2)　変数の宣言
(3)　花子さんが投げた2つのサイコロの出た目の合
計は5
(4)　例：一文一文変換しながら実行していくもの。
(5)　コンパイラ

解説 (1)　変数a，bの型は整数，変数nameの型
は文字列である。
(2)　変数a，b，nameを宣言している。
(3)　name は変数名なので，3行目で宣言している
「花子」が表示される。'さんが投げた2つのサ
イコロの出た目の合計は'はそのまま表示され
る。a＋b は，2＋3 の計算の結果が表示される。

|2| プログラミングの重要技能

STEP 2　基礎チェック問題　p.105

解答 ❶ if文　❷ elif句　❸ else句　❹ input()
❺ int()　❻ for文　❼ 配列　❽ 0番目
❾ リスト　❿ range()　⓫ range(5)

STEP 3　単元マスター問題　p.106～107

1 **解答** (1)ア　elif　イ　else
(2)　ラッキーアイテムは定規です　(3)　7
解説 (2)　4を入力すると，x＝4となり，if文の
条件も elif句の条件も満たさないので，else句の
処理が実行される。
(3)　if文の条件を満たさないかつ，elif句の条件を
満たすときに「ラッキーアイテムは眼鏡です」と
表示されるので，x≦7かつx＞6となる数字が当
てはまる。

2 **解答** (1)　3回　(2)　[0, 1, 2, 3]
解説 (1)　range(3) と記述すると，[0, 1, 2] が
作成されるので，iの値が0～2に変化する間繰
り返される。よって，3回行われる。

(2) range(4) と記述すると，[0, 1, 2, 3] が作成
　される。1 から始まるのではなく，0 から始まる
　ことに注意する。

3 **解答** (1) d (2) イ，ウ
解説 (1) list は，a, b, c, d が順番に代入された
　配列である。また，配列は要素を 0 番目から数え
　るので，list[3] は「d」である。
(2) 配列の要素として，数字や文字列を代入するこ
　とができる。また，配列は要素を 0 番目から数え
　る。

4 **解答**
x＝int(input('点数を入力してください'))
if x＞5:
　　print('評価は A です')
else:
　　print('評価は B です')
解説 1 つ目の処理：input は（）内の文字列を表
　示したあとキーボードから文字を入力させるとい
　う命令なので，「'点数を入力してください'」を
　（）内に記述する。入力された文字列を整数値に
　変換したいので，int() という命令の（）内に
　input を入れる。それを x に代入する。
判断：条件が x＞5 なので，if 文の条件に x＞5 と記
　述する。
はいの処理：if 文の条件を満たしたら次の行の処理
　が行われるので，if 文の次の行に「評価は A で
　す」と表示するプログラムを書く。
いいえの処理：if 文の条件を満たさない場合，
　else: の次の行の処理が行われるので，else 句の次
　の行に「評価は B です」と表示するプログラム
　を書く。

5 **解答** (1)ア (2)イ
解説 (1) 1 行目で x に 4 を代入しており，2 行
　目の for 文では i に 0～3 までの数字を入れてルー
　プさせている。3 行目のループさせる処理では，
　x の値をそのまま表示させており，x の値はずっ
　と変化しないのでアが正解。

(2) 1 行目で x に 5 を代入しており，2 行目の for
　文では i に 0～9 までの数字を入れてループさせ
　ている。この for 文の中には if 文が含まれてお
　り，i の値によって分岐している。はじめの 0～4
　回目のループでは if 文の条件を満たすので，
　x−i が表示される。おわりの 5～9 回目のループ
　では if 文の条件を満たさないので，else 句の
　x＋i が表示される。よって，5−0，5−1，
　5−2，5−3，5−4，5＋5，5＋6，5＋7，5＋8，
　5＋9 の結果であるイが正解。

1 **解答** (1) フローチャート
(2) ① 順次構造 ② 分岐構造 ③ 反復構造
(3) ウ (4) 4 回
解説 (3) はじめに「i に 1 を代入」という処理が
　入り，次に「i が 5 よりも小さい」という条件の
　間，「i に 1 を足す」という処理を繰り返すの
　で，ループ端の中に処理が一つ入る。
(4) はじめに繰り返しに入るとき，i の値は 1 なの
　で繰り返しの条件を満たし i に 1 が足され，2 に
　なる。そこから i が 4 のときまで処理が繰り返さ
　れ，i が 5 になると繰り返しの条件を満たさなく
　なるので繰り返しが終了する。

2 **解答** (1) ア プログラミング言語
イ 機械語（マシン語） ウ コンパイラ（型）
エ インタプリタ（型）
(2) (i) 変数 (ii) x (iii) x = 1 (iv) 代入
解説 (2) (ii) 1 を代入されている x が変数であ
　る。
(iii) 「'x ='」はそのまま表示され，そのあとの「x」
　では変数 x に代入されている 1 が表示される。

3 **解答** (1) a (2) int
(3) [0, 1, 2, 3, 4] (4) ウ
解説 (1) i は 3 なので，if 文の「i < 2」の elif 句
　の「i = 2」も満たさないので else 句の処理が実行
　され，「a」が表示される。

(2) 入力されるのは数字なので,「int」である。

(4) 1～3 の数字が入力されると,animal[0] が表示されないので**ア**と**イ**は不適。また,フローチャートの条件分岐は,i が 3 より小さい場合とそうでない場合で分かれているので,else 句が必要。よって正解は**ウ**となる。

探究問題⑥　　　　　　　　　　p.110～111

1　**解答**　(1)　pay = price[0] * a + price[1] * b + price[2] * c

(2)　pay

(3)　**ア**　num+1

イ　num（または,**ア**　num　**イ**　num-1）

(4)

```
num = int(input('数字を入力してください'))
sum = 0
for i in range(num + 1):
        sum = sum + i
print(sum)
```

（(3)で**ア**を num,**イ**を num-1 とした場合）

```
num = int(input('数字を入力してください'))
sum = 0
for i in range(num):
        sum = sum + i
 sum = sum + num
print(sum)
```

(5)　例：

```
[list = [13, 16, 20, 46, 49, 70]]
senior = 0
adult = 0
young = 0
for i in range(6):
    if list[i] >= 65:
        senior = senior + 1
    elif list[i] >= 18:
        adult = adult + 1
    else:
        young = young + 1
print("高齢者は", senior, "人")
print("成人は", adult, "人")
print("未成年は", young, "人")
```

解説　(2)　空欄に何もない状態だと,for 文の毎ループごとに pay の値が上書きされてしまうため,元々の pay の値も足す必要がある。

(4)　input や最後の print で表示される文章は解答と違っていてもよい。

(5)　list に入った年齢を,for 文を使って一人ずつ分類して人数をカウントしていく。